Handbücherei für die Sozialpädagogik
Herausgegeben von Günther Dietel
Band 10

Georg Klusmann

Vom Baby
zum
Kleinkind

Ausgewählte Sing-, Lern- und Bewegungsspiele zur Entwicklung von Kleinstkindern

Luther-Verlag Bielefeld

ISBN 3-7858-0280-3
© Luther-Verlag, Bielefeld, 1983
Alle Rechte vorbehalten
Umschlag, Illustrationen und Layout: C. E. Heeger, Witten
Fotos: Studio für Fotografie, K. H. Schepeler, Sprockhövel
Satz und Druck: Meiners-Druck, Schwelm
Einband: Klemme & Bleimund, Bielefeld
Printed in Germany

In Dankbarkeit meinen Kindern Björn und Berit
sowie meiner Frau Maria,
denen ich wichtige Erkenntnisse und wertvolle Anregungen
zu unserem Thema verdanke.

Vorwort des Herausgebers

Für viele Pädagogen wird das Kind erst im Vorschulalter interessant. Für die ersten drei Lebensjahre suchen Eltern und Erzieher oft vergeblich nach Handreichungen, Anregungen und Anleitungen zur Beschäftigung und zum Spiel mit Kleinstkindern. Und gerade diese Zeit ist für die körperliche, geistige und seelische Entwicklung von entscheidender Bedeutung. Was das Kleinstkind fast mühelos und spielerisch lernt, ist von größter Wichtigkeit für sein weiteres Wachstum. Was in den ersten Jahren versäumt wird, ist nur mit großer Mühe, wenn überhaupt, wieder aufzuholen.

Viele Eltern und Erzieher von Kleinstkindern sind unsicher, wissen nicht recht, wie sie mit ihnen spielen, sich mit ihnen beschäftigen sollen. Ihnen will der Verfasser Mut machen, Hinweise für ein fröhliches Miteinander geben.

Der Autor schrieb keinen Lehrplan für eine Baby-Schule, kein pseudowissenschaftliches Trainingsprogramm für Kleinstkinder, sondern einen praktischen Ratgeber, eine Beispielsammlung für Eltern und Erzieher in Kinderkrippen und Heimen mit Kleinstkindern, für Leiter von Mutter-Kind-Gruppen und Elternkursen an Volkshochschulen, ein Buch, das man beim täglichen Umgang mit Kleinstkindern immer wieder zur Hand nehmen sollte, ein wirkliches Handbuch.

Günther Dietel

Inhalt

1. Ein Wort an Eltern und Erzieher

Dieses Buch ist insbesondere Eltern zugedacht, aber auch jenen, die ein besonderes Interesse an Kleinstkindern (Kinder bis zum dritten Lebensjahr) haben und mit ihnen spielen möchten.

Gerade in unserer heutigen anonymen Welt steht die Familie oft allein da und ist nur allzu sehr auf sich gestellt. An Rat für Versorgung und Pflege des Kleinstkindes fehlt es meistens nicht. Für die primitiven Lebensbedürfnisse wie Essen und Schlafen wird sehr wohl immer ausreichend gesorgt. Die Eltern aber, und insbesondere die Mütter, wissen oft nicht, wie sie sich in den immer länger werdenden Wachzeiten mit den Kleinstkindern beschäftigen sollen. Das Kleinstkind stellt aber gerade an die Aufmerksamkeit der Bezugsperson immer größere Ansprüche, da es bereits eine kleine Persönlichkeit ist, in der die Anlagen des Gemütes und des Geistes neben denen des Körpers auf Entfaltung warten und entwickelt werden möchten.

Anlagen und Umwelteinflüsse
Bereits in der frühesten Kindheit wird die Grundlage zur Entwicklung der geistig-seelischen Kräfte gelegt. Mehr und mehr setzt sich in der wissenschaftlichen Diskussion der letzten Jahre die Auffassung durch, daß den Umwelteinflüssen und der Erziehung eine große Bedeutung zukommt. Die Erbanlagen setzen zwar bestimmte Grenzen, aber der Spielraum ist größer, als man bisher annahm. Eindrucksvolle Ergebnisse brachte hierzu ein Vergleich zwischen den Erziehungssystemen und Erziehungserfolgen einzelner Kulturen sowie der Zwillingsforschung, die gezeigt hat, daß bei unterschiedlicher Umgebung, in der getrennt lebende eineiige Zwillinge aufwachsen, auch die geistigen und seelischen Entwicklungen sehr unterschiedlich verlaufen. Das heißt mit anderen Worten, Eltern können in nicht unerheblichem Maße Einfluß nehmen auf die Entwicklung ihres Kindes. Ihr Einfluß ist am stärksten in den ersten drei Lebensjahren, in denen das Kind hauptsächlich mit den Eltern zusammen ist. Wie bedeutsam deshalb die ersten drei Lebensjahre sind, mag ein Beispiel aus dem Bereich der Natur verdeutlichen.

Nehmen wir eine Kastanie, die gesetzt wird und die sich selbständig zu einem Baum entwickelt. Wenn die Voraussetzungen gut sind, wird sie natürlich und spontan wachsen. Aber was sind günstige Voraussetzungen für die Kastanie? Die Kastanie braucht gute Erde, Feuchtigkeit, Wärme und Sonnenlicht, Schutz gegen extreme Temperaturen, Regen und Sturm. Wie gut sich die Kastanie entwickelt, hängt also von Umweltverhältnissen ab. Wenn der Boden trocken und verbraucht ist, wird der Baum in seinem Wachstum zurückbleiben. Wir brauchen nur einmal den Querschnitt eines Baumes zu betrachten, der genau das Wachstum eines jeden Jahres widerspiegelt, um festzustellen, wie die Witterungsbedingungen in jedem Jahr gewesen sind. Schlechte Umweltbedingungen hinterlassen tiefere Spuren, wenn ein Baum jung ist, als wenn er bereits größer und kräftiger geworden ist.

Eltern und Erzieher kann diese Erkenntnis einerseits verunsichern, andererseits kann sie als großartige Gelegenheit verstanden werden, beim Heranwachsen von Kleinstkindern eine lebenswichtige und hilfreiche Rolle zu übernehmen, um für sie die so notwendigen und wichtigen Umweltbedingungen zu schaffen.

Diese Feststellungen legen die Vermutung nahe, daß die Eltern dem Kind Erfahrungen vermitteln können, die einen erheblichen Einfluß auf seine geistige und seelische Entwicklung haben. Anders gesagt, bei zwei von Geburt aus gesunden, normalentwickelten Kindern wird dasjenige für seine weitere Entwicklung im Vorteil sein, mit dem anregend gespielt und dem umfangreiche Spielangebote gemacht werden.

Wie dieses Buch entstand

Die Spielanregungen in diesem Buch sind das Ergebnis einer langen, intensiven Suche nach solchen Spielen und Beschäftigungen, die dem Kind ein Höchstmaß an Spaß, Interesse und Belehrung bereiten, und deren Erprobung an über 150 Kleinstkindern eines Eltern-Kind-Projektes. Obwohl wir sie systematisch an vielen, vielen Kleinstkindern getestet haben, wird man feststellen, daß vieles schon bekannt ist. Vieles ist seit jeher gültig und immer wieder beliebt, wie z. B. die »alten« Kinderlieder. Manche Erinnerung wird wieder wach werden. Unter den Anregungen sind jedoch sicher auch viele, die neu sind und auf die man vielleicht selbst nicht gekommen wäre. Von daher versteht sich das Buch als eine Spielsammlung, die als Ausgangspunkt anzusehen ist, um hierauf weitere phantasievolle Spiele aufzubauen. Denn alles, was sich aus dem gemeinsamen Spiel zwischen Eltern, Erziehern und Kindern entwickelt, wird nicht allein durch die Anregungen bestimmt, sondern von eben jenen gemeinsam.

Bei diesen Anregungen handelt es sich auch nicht um Unterrichtspläne, sondern lediglich um eine Sammlung von Spielen, Liedern und Beschäftigungen für die ersten drei Lebensjahre, die die geistige und seelische Entwicklung des Kindes fördert.

Das Grundprinzip ist also, daß die Eltern dem Kind viele interessante Erfahrungen ermöglichen sollten, die seinem Erforschungs- und Tätigkeitsdrang gerecht werden und es anregen, mit ihnen etwas gemeinsam zu tun. Denn durch das gemeinsame Spiel wird sein Vertrauen zu den Eltern, zu sich selbst und in sein Können bestärkt. Die Spiele in diesem Buch fordern daher, daß Eltern mit ihrem Kind gemeinsam spielen, wobei dieses Miteinander ebenso wichtig für die Entwicklung des Kindes ist wie das Spiel selbst. Durch dieses Miteinander wird die Basis für ein liebevolles, akzeptierendes und partnerschaftliches Verhältnis gelegt, welches auch für die zukünftigen Beziehungen von Bedeutung ist. Die Bereitschaft des älteren Kindes und des Jugendlichen, die Eltern als liebevolle und verständnisvolle Partner anzusehen, wird in diesen frühen Jahren durch die Bereitschaft der Eltern zum Miteinander für die Zukunft vorbereitet. Durch das gemeinsame Spiel in diesem frühen Stadium erfahren sie immer mehr Freude an ihrem Kind. Durch das gemeinsame Spielen nehmen sie viel mehr Anteil am Leben und an der Entwicklung des Kindes, was letztlich mit zu einer positiven Einstellung zum Kind und zu einem wesentlich größeren Reichtum an Erinnerungen führt.

Kleinstkinder brauchen Anregungen

Das Kind wird in eine fremde und rätselhafte Welt geboren. Erst allmählich lernt es seine Umwelt mit Hilfe seiner Sinne kennen und verstehen. Das Baby ist bei der Geburt schon mit all seinen Fähigkeiten ausgestattet, die es für seine körperliche und geistige Entwicklung braucht. Sämtliche Sinne sind praktisch mit der Geburt funktionsbereit. Selbstverständlich bedeutet das nicht, daß es seine Umwelt so sieht und begreift wie wir. Es reagiert in den ersten Wochen und Monaten noch reflexhaft und ohne Verständnis auf bestimmte Empfindungen. Die Umwelt wird zunächst nur schemenhaft wahrgenommen. Auf Berührungs- oder Geschmacksreize beginnt es zu saugen bzw. zu schlucken oder auszuspucken. Je älter es wird, je mehr ermöglichen ihm seine Sinnesempfindungen das Lernen und die freie Entfaltung in seiner Umwelt. Es beginnt mehr und mehr die verschiedenen Erscheinungen um sich herum zu unterscheiden. Gleichartige Tasteindrücke und Temperaturempfindungen werden immer besser wiedererkannt. Geschehenes und Gehörtes wird sortiert und wiedererkannt. Ruft z. B. die Mutter aus der Küche den Namen des Kindes, blickt der Säugling bereits in die Richtung, aus der seine Mutter immer an sein Bettchen tritt. Und wenn sie sich dann über ihn beugt, ihn anlächelt und ihm das Fläschchen zeigt, so lächelt der Säugling freudig zurück und schaut erwartungsvoll zappelnd auf die ihm dargebotene Flasche, in froher Erwartung der nachfolgenden Nahrungsaufnahme.
Mehr und mehr wird das kleine Kind auch in der Lage sein, kleinere Probleme zu lösen. So lernt es, besonders dann zu schreien, wenn es hung-

rig ist, und freudig zu lächeln oder auch zu strampeln und zu schreien, wenn es hochgenommen werden will.

Das Kleinstkind ist kein unbeschriebenes Blatt
Hier wird offensichtlich, daß das Kind in den ersten Jahren eine Entwicklungsphase durchläuft, die an Intensität der Reifungs- und Lernprozesse mit keinem späteren Entwicklungsabschnitt zu vergleichen ist. Es ist die Auffassung der modernen Entwicklungspsychologie, daß während dieser Zeit Prägungsvorgänge das Verhalten des Kindes nachhaltig bestimmen, daß deren Auswirkungen ein ganzes Leben bestehenbleiben und daß in diesem Zusammenhang erzieherische Einflüsse ungemein wichtig sind.
Hierdurch darf jedoch keineswegs der Eindruck entstehen, daß in späteren Zeiten keine Förderungs- und Korrekturmöglichkeiten mehr vorhanden sind – nur fallen sie in der frühkindlichen Phase am leichtesten. Der Grund dafür ist, daß Gehirn und Organismus in den ersten Lebensjahren überaus aufnahmebereit und ausbildungsfähig sind. Wie diese Gehirntätigkeit abläuft, mag uns deutlich werden, wenn wir uns vorstellen, daß von der Umwelt Signale in Form von Licht- und Schallwellen, Gerüchen und Berührungsreizen vom Kind durch seine Sinnesorgane aufgenommen werden. Die kindliche Gehirntätigkeit hat nun eine besonders wichtige Aufgabe zu erfüllen, sie hat nämlich die Signale richtig zu deuten, zu verstehen und zu verarbeiten. Aus diesem Grunde werden die bereits entschlüsselten Umweltmeldungen in dafür vorgesehene Hirnabschnitte gespeichert, mit anderen Worten, jeweils die Gesichts- und Gehörseindrücke für sich getrennt. Das bedeutet, daß nunmehr bereits vorhandene Meldungen mit den neu eingehenden Meldungen verglichen werden können und so die immer neuen Eindrücke zu wichtigen Gedächtnisleistungen führen.
So lernen Kinder im Laufe ihrer Entwicklung fortlaufend komplexere Umweltmeldungen und Situationen zu verarbeiten. Indem sie sich mit den immer wechselnden Situationen und Bedingungen der Umwelt mit all ihren zur Verfügung stehenden Fähigkeiten auseinandersetzen, entwickeln sich ihre Aufnahme- und Lernfähigkeiten. Dies führt dazu, daß ständig neue Fähigkeiten und Eigenschaften erworben werden, die zum Verständnis und zur Eroberung ihrer Umwelt notwendig sind. Wenn auch die Entwicklung normaler und gesunder Kinder weitgehend ähnlich verläuft, so können doch die Unterschiede im Entwicklungsverlauf auch bei diesen Kindern sehr groß sein.

Keine Angst, wenn es einmal etwas langsamer geht
Die Entwicklung kann manchmal sehr schnell fortschreiten, ein anderes Mal langsamer vorangehen. So kann es vorkommen, daß das eine Kind vielleicht schon mit sechs oder sieben Monaten krabbelt, dafür

14

das andere »sprachlich« etwas lebhafter ist, indem es mehr »brabbelt«. Zudem ist oft festzustellen, daß nach einer zunächst offensichtlichen Verzögerung kurze Zeit später eine Beschleunigung der Entwicklung erfolgt.

Bei jedem Kind bilden sich somit im Laufe seiner Entwicklung immer mehr seine eigene, individuelle Sichtweise und sein eigenes Wesen heraus. Dieses sind ureigene, selbständige Leistungen des Kindes, wodurch es bestimmt, welche Umweltreize aufgenommen und wie neue Erfahrungen verarbeitet werden, die von den Erwachsenen akzeptiert und toleriert werden müssen.

Am Anfang jeder Entwicklung steht ein wechselseitiger Prozeß der Inanspruchnahme und Beeinflussung des kleinen Kindes durch seine unmittelbare Umwelt auf der einen Seite und der – zum Teil selbständigen – Auswahl und Verarbeitung eben dieser Umwelteindrücke durch das Kind auf der anderen Seite.

Es zeigt sich somit, daß die Entwicklung des Kindes einerseits nicht ausschließlich durch erzieherische Maßnahmen zu beeinflussen ist, andererseits man aber auch nicht untätig zuschauen und den eigenständigen Reifungsprozessen alles überlassen darf. Ein Kind ist also nicht total manipulierbar, es bedarf aber der Führung und Anregung durch die Umwelt, einer Erziehung.

Spiel – eine durchaus ernste Angelegenheit

Die normale körperliche, geistige und seelische Entwicklung vollzieht sich in einer Reihe von Wechselwirkungen zwischen dem Baby und seiner Umwelt. Zu einer ersten grundlegenden Orientierung in der Realität kommt es durch die Wirkungen von Beobachten, Zuhören, Berühren, Riechen, Schmecken auf das Kind.

Durch Untersuchungen konnte nachgewiesen werden, daß beim Kind höhere geistige Fähigkeiten zu erreichen sind, wenn sich die Bezugspersonen (wichtigste Kontaktpersonen) in vielseitiger Weise dem Kind spielerisch widmen, z. B. indem sie ihm Gegenstände zugänglich machen, sich mit diesen wiederum mit dem Kind gemeinsam auseinandersetzen und hierbei auf den kindlichen Gebrauch derselben reagieren, indem sie weiteres Erforschen und Experimentieren anregen und ermöglichen.

Namhafte Wissenschaftler haben herausgefunden, daß insbesondere bei Kleinstkindern durch das Spiel eine angenehme Gefühlsspannung aufrechterhalten und so Langeweile verhindert wird. Wer deshalb die geistigen Fähigkeiten des Kleinstkindes herausbilden will, sollte eine entsprechende Förderung schon im Kleinstkindalter beginnen und nicht erst im Kindergartenalter. Dieser Forderung kommen Fortschritte aus der Hirnforschung einerseits und der Kinderpsychologie andererseits entgegen, die besagen, daß der Schlüssel vor allem zur Intelligenzbildung des Kindes in den Erfahrungen der ersten drei Lebensjahre zu suchen ist, solange sich nämlich die Hirnzellen am stärksten entwickeln.

Schon das Kleinstkind sucht nach Dingen und erforscht alles, was es findet. Spiel ist insbesondere das, was ihm den Anreiz gibt, Körper und Sinne zu gebrauchen, um so immer mehr seine Umwelt zu erforschen. Wenn dem Kind auch das Spielen Spaß macht, so ist damit nicht gesagt, daß jedes Spiel absichtlich Spaß zu sein hat. Auch in den alltäglichen Tätigkeiten, die das Kleinstkind als angenehm empfindet, liegt für ihn ein Spielwert – beim Wickeln ebenso wie beim Baden und Füttern. Von daher stimmt die Annahme nicht, daß Kinder spielen, um sich zu erholen. Dies läßt sich leicht erkennen, wenn wir ein Kind beim Spielen beobachten: Es ist mit seiner ganzen Person in das Spiel vertieft und strengt sich oft bis zur völligen Erschöpfung an. Es geschieht sogar sehr häufig, daß es zornig und ungeduldig wird und in Tränen ausbricht, wenn etwas gar nicht gelingen will. So etwas geschieht z. B., wenn ein Kleinstkind versucht, mit Bausteinen immer wieder einen Turm zu bauen, aber aufgrund seiner noch unvollkommen entwickelten motorischen Fähigkeiten nicht in der Lage ist, mehrere Bausteine aufeinanderzustellen, so daß sie immer wieder herunterfallen. Das Kind müht sich, probiert und »verschwendet« unendlich viel Zeit dafür, ohne zu einem sichtbaren Erfolg zu kommen. Die Erwachsenen messen fälschlicherweise Aufwand und Erfolg, Zeit und Nutzen. Aber für das Kind bedeutet das Erforschen und immer wieder Neubeginnen, daß es durch das Spiel zu wichtigen Erkenntnissen gelangt, die ihm notwendige Erfahrungen aus seiner Umwelt vermitteln. Durch diese Auseinandersetzung übt es seine geistigen und körperlichen Fähigkeiten. Das Spiel ist somit für das Kleinstkind eine wichtige und ernsthafte Tätigkeit, bei der es all seine Fähigkeiten und sein Können einsetzt.

Für das Kind gibt es keinen Unterschied zwischen Spielen und Lernen

In den ersten Lebensjahren gibt es für das Kleinstkind noch keinen Unterschied zwischen Spielen und Lernen. Beides tut es aus dem gleichen Grund: Es möchte möglichst viele Dinge kennenlernen und mit ihnen seine Erfahrungen sammeln. Von daher ist auch das Spielen eine Auseinandersetzung mit seiner Umwelt. Diese Umwelt besteht aus Menschen, aus Ereignissen und aus Dingen. Das Kind kann sie sehen, hören, riechen, greifen und schmecken. Die so gemachten Erfahrungen verknüpfen sich zu Einsichten und Erkenntnissen, die dann wiederum auf andere neue Situationen übertragen werden können. So wird das Kleinstkind befähigt, die Bedeutung von Menschen, Dingen und Ereignissen zu erkennen und sie sinnvoll seinem Leben zuzuordnen. Ob und wie weit diese Fähigkeit entwickelt und entsprechend unterstützt werden kann, hängt in sehr starkem Maße auch von der Haltung und Einstellung des Erwachsenen zum kindlichen Spiel ab. Ohne entsprechende Einsicht, Hilfe, Teilnahme und Anregung ist auch die Umwelterfahrung und Freude des Kindes an seinem Spiel begrenzt. Denn das kleine Kind macht seine Erfahrungen nicht durch bloßes Zuschauen, sondern es muß sich aktiv handelnd mit seiner Umwelt auseinandersetzen. Nur so kann es auf diese Umwelt selbst einwirken und sie umgestalten, um sie so immer wieder interessant und attraktiv zu machen, damit seine Neugier befriedigt wird und es Freude am Spiel behält. Das Spiel regt also dazu an, zu empfinden, zu gestalten, seelische und geistige Fähigkeiten zu entwickeln.

Das Kleinstkind erforscht seine Umgebung
Wenn ein Kleinstkind z. B. an dem Band eines Hampelmannes zieht, dann lernt es in diesem Moment eine ganze Reihe von wichtigen Dingen: Es lernt seine Hände um das Band zu legen, es festzuhalten und zu ziehen. Gleichzeitig wird seine Denkfähigkeit angeregt, wenn es erkennt, daß sich der Hampelmann nur durch das Ziehen des Bandes bewegt. Es lernt weiter, Arme und Beine des Hampelmannes zu beobachten, und sammelt darüber hinaus erste Erkenntnisse über Ursache (das Ziehen des Bandes) und Wirkung (das Bewegen der Arme und Beine).
Ein anderes Kleinstkind läuft vergnügt von einem Lichtschalter zum anderen und schaltet diese immer wieder ein und aus. Es will sich vergewissern, ob auch tatsächlich jedes Mal das Licht auf Knopfdruck ausgeht, so wie es das vorhergesehen und vorausgedacht hat. Ein solch kleiner Forscher stellt sich zunächst die beabsichtigte Wirkung im Geist vor, um daraus ein Spiel zu machen und die Wirkung seiner Handlung immer wieder neu zu kontrollieren.
Eine weitere wichtige Bedeutung des Spielens liegt darin, daß das Spiel frei ist von jeglichen Zwängen. Das Kind kann dadurch seine eigenen Ziele selbst setzen und so größtenteils negative Erfahrungen wie Hilflosigkeit und Enttäuschung vermeiden. Ein Beispiel mag dies verdeutlichen: Wenn das Kind nicht in der Lage ist, die ausgestanzten Teile eines Tier-Puzzles zu einem Gesamtbild zusammenzusetzen, nimmt es stattdessen vielleicht eine in der Nähe stehende Dose und legt die Tiere in die Dose, um sie als Käfig zu benutzen.

Was man nicht vergessen darf!
Während der ersten drei Jahre sind in den meisten Fällen die Eltern die nächsten und wichtigsten Spielpartner im Leben des Kindes. Die Beziehung der Eltern und auch die der Geschwister – wenn vorhanden – fördern und beeinflussen die gesamte Spieltätigkeit. Das Spielen mit al-

len Familienmitgliedern hilft ihm, zu geben und zu nehmen, sich einzufügen und anzupassen, seine Familie kennenzulernen und unterschiedlich auf jeden, der mit ihm spielt, zu reagieren. In solch einer Umgebung fühlt sich ein kleines Kind geborgen und geliebt: es lernt, anderen zu vertrauen. Auf diese Weise werden sein soziales Verhalten und die Entwicklung seiner Gefühle wesentlich mitgeprägt.

Die Eltern sind die besten Spielpartner

Im Kleinstkindalter sind die Eltern die besten Spielgefährten und das liebste Spielzeug für das Kind. Das gemeinsame Spiel beginnt damit, daß das Gesicht der Eltern abgetastet wird, daß die Eltern fest an den Haaren gezogen werden und daß sie mit ihrem Kind beim Baden und Wickeln spielerische Neckerein erfinden.
Besonders das Gesicht z. B. der Mutter gemeinsam mit ihrer Stimme ist schon für das kleine Baby faszinierend, alles, was sie tut, und alles, was sie benutzt, begeistert das Kind. Sie gewährt ihm ihre Aufmerksamkeit und ihre Zuneigung und verhilft ihm somit zum besten Spiel, das es überhaupt gibt. Ihr Körper ist sein erstes Turngerät, ihre Muskelkraft ergänzt die seine, so daß es mit ihrer Hilfe viele Dinge tun kann, die es allein noch nicht vollbringen könnte. Am gemeinsamen Spiel haben alle ihre Freude und sind glücklich dabei.
So bekommt das Kind im Laufe der Zeit immer mehr ein Gefühl der Geborgenheit. Um sich geborgen zu fühlen, muß das Kind allerdings als vollwertiges Familienmitglied angesehen werden und nicht als forderndes, hilfloses Etwas.
In den ersten Monaten ist Spielzeug, so schön es auch sein mag, eigentlich noch nicht das Wichtigste. Viel wertvoller und besser ist es, wenn die Eltern mit ihrem Kind spielen und sich mit ihm z. B. »unterhalten«. Babys sind von Geburt an auf die Tonlage der menschlichen Stimme festgelegt, die das Kind praktisch mit der Geburt erkennen kann. Auch wenn das Kind noch nicht antworten kann, ist es wichtig, schon mit ihm zu sprechen. Nicht so sehr, um ein hochintellektuelles Wesen heranzuzüchten, sondern um dem Kind schon sehr früh Freude an den Dingen zu vermitteln, die es selbst verursachen kann. So führt auch die spielerische Auseinandersetzung mit dem Kind zu einer Art gegenseitiger Anregung. Dies fängt schon in den allerersten Lebenswochen an. Die Mutter spricht z. B. mit ihrem Baby, während sie es wickelt, und bemerkt, daß es auf ihre Worte lauscht. Dies ermuntert sie, sich mit ihrem Kind noch intensiver auseinanderzusetzen. Und weil sie nun noch mehr erzählt und immer mehr auf die Reaktionen des Kindes eingeht, wird auch das Kind entsprechend immer lebhafter reagieren und eines Tages den ersten Laut herausbringen, was die Mutter anspornen wird, wie bisher weiterzumachen.

Babys sind nicht »dumm«
Leider erkennen Eltern die Dinge oft nicht, mit denen sich das Kind auseinandersetzen und spielen will. So ist es auch traurig, daß viele Menschen denken, daß so ein kleines Wesen noch nicht viel kann und daß es hauptsächlich schlafen muß. Auch ist die immer wieder zu hörende Meinung falsch, Babys könnten ihre Eltern erst mit einem halben Jahr erkennen. Neue Untersuchungen haben aber gezeigt, daß ein Baby seine Mutter bereits kurz nach der Geburt durch sein Riechen wiedererkennt. Ein Baby baut langsam Stück für Stück, wie bei einem Puzzle, das Bild seiner Eltern zusammen. Die Eltern können durch ihre Auseinandersetzung mit dem Kind selbst dafür sorgen, daß ihr Bild schneller entsteht.

Das Kleinstkind braucht eine anregende Umwelt
Nach und nach aber muß und will das Kleinstkind immer mehr seine Umwelt kennenlernen, und zwar mit allen Dingen, die diese Welt umfaßt. D. h. es braucht eine anregende Umwelt. Hier können die Eltern durch entsprechende Impulse Schritt für Schritt den kindlichen Horizont erweitern. Anregen heißt für die Eltern, daß sie dem Kind zeigen, was es machen kann, und nicht, was es machen soll. Häufig fällt es den Erwachsenen leichter, dem Kind etwas vorzuspielen, als sich an dem Spiel des Kindes zu beteiligen, d. h. ihm Anregungen zu geben, indem auf die Impulse (z. B. Wünsche, Ideen, Ziele) des Kindes eingegangen wird und es so zu einem harmonischen Miteinander kommt. Häufig genug fühlen sich die Eltern aber unsicher und wissen nicht, wie sie sich beim Spiel mit dem Kind verhalten sollen: Oft möchten sie ihr Kind beim Spiel nicht stören oder auch nicht zu viel an Anregung vorgeben, um die Freiheit des Kindes nicht zu sehr einzuschränken. Diese Angst ist jedoch unbegründet. Wenn auch die Anleitung und Lenkung sehr vorsichtig geschehen muß, um das Spiel des Kindes nicht zu sehr einzuengen, so sind die Bereitschaft und das Interesse, was durch die Teilnahme bekundet wird, sich gemeinsam mit dem Kind für seine Dinge zu interessieren und mit ihm also zu spielen, am allerwichtigsten.

Die natürliche Entdeckerfreude fördern
Darüber hinaus ist es notwendig, Möglichkeiten und Anreize zu spontanem, phantasievollem Spiel zu schaffen, unter denen sich das Kind entwickeln kann. Darum braucht das Kleinstkind immer wieder kleine Anregungen in Form von Spielmaterialien (damit sind insbesondere auch ungefährliche Haushaltgegenstände usw. gemeint). Hierbei ist darauf zu achten, daß die Eltern nur die der Entwicklung des Kindes entsprechenden Lernsituationen arrangieren. Die Eltern geben lediglich Anregungen und weisen behutsam den Weg. Niemals sollen sie zu viel helfen oder gar das Kind gängeln. Durch ein zu diktierendes und einen-

gendes Verhalten der Eltern würde leicht die natürliche kindliche Entdeckerfreude ersticken. Wenn ein Kind deshalb heute auch noch nicht ein vorgenommenes Ziel erreicht, so kommt es vielleicht morgen oder nächste Woche ans Ziel. Sein Spiel- und damit auch sein Lerntempo bestimmt das Kind einzig und allein selbst, denn nur so behält es die Freude an weiteren Spielen und Aufgaben.

Der Vater darf nicht abseits stehen!

Die Wichtigkeit der Mutter-Kind-Beziehung ist in den letzten Jahrzehnten so überbetont worden, daß man fast meinen könnte, Väter seien nur dazu da, für den Lebensunterhalt der Familie zu sorgen.
Die Auffassung, Elternschaft sei eine gemeinsame Aufgabe von Mutter und Vater, erfreut sich zwar prinzipiell seit einiger Zeit größerer Zustimmung, doch bleibt es im allgemeinen beim bloßen Lippenbekenntnis. Denn leider ist es noch viel zu sehr die Ausnahme, daß sich Väter wirklich aktiv an der Kleinstkindererziehung beteiligen. Systematische Beobachtungen konnten sogar nachweisen, daß die mütterliche Zuwendung eher eine Versorgungsfunktion besitzt, daß die Mutter in erster Linie auf die kindliche Sicherheit bedacht ist und eher dazu neigt, den frühkindlichen Erforschungsdrang zu hemmen. Väter hingegen wenden sich häufiger in direkter spielerischer Absicht dem Kinde zu, ermuntern es stärker, etwas zu riskieren, die Umgebung zu meistern. Beim Spiel können sie so viel Einfluß auf ihr Kind ausüben, denn das Spiel schafft ein Verhältnis gegenseitiger Liebe und Achtung. Weiterhin ist anzunehmen, daß die Mutter durch die Unterstützung des Vaters einerseits entlastet und andererseits in ihrer Mutterrolle bestätigt, ermutigt und gestützt wird, was bei ihr das Gefühl der Selbstsicherheit und Selbstachtung verstärkt.
Auch für den Vater selber ist eine frühe Beziehung und Auseinandersetzung mit seinem Kleinstkind wichtig. Dadurch, daß er sich mit dem Kleinstkind aktiv auseinandersetzt, ist es für ihn kein unbekanntes Wesen mehr. Er nimmt so viel besser Anteil an seiner Entwicklung und versteht es auch besser. Es kann sich schon sehr früh ein kameradschaftliches Verhältnis entwickeln, was auch für das zukünftige Verhältnis von Vater und Kind von Bedeutung ist.
Aber nicht allein das häufige Zusammensein oder Spielen mit dem Kleinstkind trägt zur positiven Entwicklung des Kindes bei. Viel wichtiger ist die Qualität dieses Kontaktes, – was natürlich auch für die Mutter gilt. Lieber kürzere Zeit, sich dann aber intensiv und konzentriert mit dem Kind auseinandersetzen. So ist es ganz besonders wichtig, das Kind zu lieben und mit ihm zu spielen, sich ganz in seine Person zu versetzen, d. h. über seine Bedürfnisse und Stimmungen nachzudenken, sämtliche Bewegungen und Geräusche wahrzunehmen, einfach: mit

den Augen des Kindes zu sehen. All dies erfordert zwar sehr viel Aufmerksamkeit und Einfühlungsvermögen, es kann aber auch eine der schönsten Aufgaben sein, die einem Menschen auferlegt werden kann.

Spielen kann gelernt werden

Die Eltern sind der das Kind am stärksten beeinflussende Erziehungsfaktor. Dadurch, daß das Kind sich immerwährend an ihnen orientiert, wirkt die elterliche Erziehung durch ihre Haltung zur Umwelt, Einstellung zu Mitmenschen und durch ihre eigene Person auf das Kind. Auch wenn sich die Eltern einmal ungeduldig und ungerecht gegenüber dem Kind verhalten haben, so fügt das dem Kind keinen Schaden zu, wenn es weiß, daß es von den Eltern akzeptiert und geliebt wird. Die innere Einstellung der Eltern zu ihrem Kind beeinflußt seine Entwicklung und Entfaltung in hohem Maße und ist wichtiger als alles andere. Von daher ist es ganz besonders wichtig, daß ein Kind von der Geburt an zugleich als eigenständige Persönlichkeit anerkannt und als gleichberechtigter Partner akzeptiert wird. Wenn Eltern in dieser Weise ihre Kinder als Partner und Persönlichkeit sehen, so werden sie bemüht sein, auf ihre Bedürfnisse einzugehen und feinfühlig herausfinden, was sie gerade brauchen. Die Eltern werden deshalb auch nur Verhaltensweisen erwarten, zu denen ihr Kind bereits fähig ist, und seine und ihre Interessen und Wünsche nach Möglichkeit in Einklang bringen. Aus diesem Grunde ist es unbedingt notwendig, daß alles, was das Kind angeht, unter dem Gesichtspunkt »Partner und Persönlichkeit« gesehen wird. Dies gilt ganz besonders für die spielerische Auseinandersetzung des Kindes mit seiner Umwelt.

Die Tatsache, daß es viele Kinder gibt, die nicht spielen können oder nicht gerne spielen, sollte uns nachdenklich stimmen. Auch das Spielen muß erlernt sein. Und darum brauchen die Kinder unsere Partnerschaft und Hilfe, die sich allerdings nicht darin erschöpfen darf, indem wir den Kindern Spielmaterialien zur Verfügung stellen und sagen: »So, nun spielt schön!« Nachfolgend sind einige Ratschläge zusammengestellt worden, die zwar in erster Linie für das Spiel mit dem Kinde beachtet werden sollten, aber auch für die gesamte Spieltätigkeit des Kleinstkindes von Bedeutung sind.

Das Kind ist der Wegweiser
Die besten Voraussetzungen für das Spiel des Kleinstkindes sind eine positive Einstellung der Eltern zum Kind, gepaart mit Verständnis für seine körperlichen und geistigen Fähigkeiten und Eigenschaften, die Bereitschaft, entsprechend zu reagieren und sich dem kindlichen Spielbedürfnis anzupassen sowie die entsprechenden Umweltbedingungen für das Spiel zu schaffen.

Kinder brauchen fröhliche Eltern
Eine fröhliche, zuversichtliche und freundliche Haltung dem Kleinstkind gegenüber ist von großer Bedeutung für das gemeinsame Spiel. Wenn Eltern lustlos sind und sich nicht mehr auf das Spiel konzentrieren können, besteht die Gefahr, daß das jeweilige Spiel für das Kind langweilig wird – und damit jede noch so hübsche Anregung ihren Reiz verliert. Darüber hinaus dienen Eltern ihrem Kind als Vorbild. Von ihnen übernimmt das Kind alle möglichen Verhaltensweisen, gute und schlechte. Die Eltern werden daher durch ihr Vorbild mitentscheiden, ob ihr Kind launisch, nervös, spontan, kreativ, unkonzentriert, aktiv oder passiv werden wird.

Spiel birgt auch Gefahren
Kinder müssen lernen, daß Spiel auch mit Gefahren verbunden sein kann. Andererseits kann allzu große Ängstlichkeit und Gehemmtheit des Kindes zu Ungeschicklichkeit oder gar Unfällen führen. Nur in einer entspannten, lockeren Atmosphäre kann das Kind sein Spiel in zufriedener Weise verwirklichen. Es sollte deshalb keine Angst haben, wenn es sich schmutzig oder etwas kaputt gemacht hat. Ebenso sollte das Kind wegen seiner Ideen oder Fertigkeiten nicht ausgelacht werden. Auslachen beschämt das Kind, und verletzt es. Dies führt bei ihm zu Gehemmtheit und Verunsicherung.

Es geht nicht immer so, wie man will
Die Anregungen, die das Kind bekommt, und die Spiele, die sich daraus entwickeln, sollten der Persönlichkeit und der momentanen körperlichen und gefühlsmäßigen Verfassung des Kindes Rechnung tragen. So gibt es für jedes Kind individuell eine richtige Intensität der Anregung, die einerseits nicht zu groß sein darf, sonst schreckt es angstvoll zurück, andererseits aber auch nicht zu niedrig, da sonst das Spiel langweilig wird und kein Anreiz für das Kind besteht. Ist es z. B. empfindlich gegen zu laute Geräusche, so wird man ihm als Säugling kein Quietschtier geben, welches beim Zusammendrücken ein furchterregendes Geräusch von sich gibt. Ist das Kind bei Bewegungsspielen ängstlich? Dann verbietet sich ein wildes Hochwerfen des Kindes. Angebrachter sind dann zunächst Bewegungsspiele, die weniger Aktivität erfordern und mit der Zeit gesteigert werden können. Aber auch die momentane Verfassung oder Stimmung des Kleinstkindes bestimmt die Art der Spiele. So wird ein ruhe- und liebebedürftiges Kind Liebkosungen und leise gesummte Melodien besonders angenehm empfinden, während es dies fast unerträglich findet, wenn es sich energiegeladen und voller Tatendrang bewegen möchte. Genauso ist es, wenn es hungrig und müde ist, dann erweist sich jegliches Spiel als mühsam, da das Kind sich bloß nach Nahrung bzw. nach seinem Bett sehnt.

Das Kind darf nicht überfordert werden
Jedes gemeinsame Spiel sollte auch nur so lange dauern, wie es dem Kind Spaß macht. Ob und inwieweit es ihm Freude macht, liegt letztlich in großem Maß an den Eltern selbst. Es liegt deshalb sehr daran, ob sie das Spiel spannend, lustig und abwechslungsreich mitgestalten. Und wenn ein Spiel einmal beim Kind keine besondere Begeisterung auslöst, dann sollten die Eltern dieses Spiel mit ihm ein anderes Mal spielen und zu einem neuen übergehen. Vielleicht möchte es auch allein oder gar nicht spielen, sondern schmusen oder seine Ruhe haben, auch dies ist unbedingt zu respektieren. Wenn Kleinstkinder unter Zwang spielen oder die Antriebe dazu nur von anderen erhalten, verlieren sie die Fähigkeit zu eigener Tätigkeit. Zwang ist Gift für die freie Entfaltung des Kindes.

Auch Kinder wünschen keine Störung
Schon das Kleinstkind kommt zu seinem Spiel durch ein inneres Bedürfnis. Es möchte z. B. jetzt mit Bausteinen spielen. Es wird aus dieser Spieltätigkeit abrupt herausgerissen, wenn wir von ihm verlangen, etwas anderes zu spielen. Kinder empfinden jede Störung oder Unterbrechung beim Spielen genauso unangenehm wie wir, wenn wir konzentriert beschäftigt sind. Wenn Kinder zu oft beim Spiel unterbrochen werden, beeinträchtigt dies ihre Konzentrationsfähigkeit und macht sie auf die Dauer oberflächlich.

Erwachsene haben andere Maßstäbe
Die Art und Weise des kindlichen Spiels muß akzeptiert werden, d. h. daß der Erwachsene sich von seinem Zweckdenken freimacht, um das kindliche Spiel zu verstehen. Durch sein Probieren, Erforschen, immer wieder Neubeginnen des Spiels wird das Kind zu wichtigen Erkenntnissen und Erfahrungen gelangen. Dieses ureigene Spiel des Kindes sollte der Erwachsene respektieren. Die selbstgeschaffene Welt der Kinder hat für sie eine besondere Bedeutung: ein mit Bausteinen erbautes Haus sieht vielleicht anders aus, als der Erwachsene sich das vorstellt. Die Maßstäbe der Erwachsenen sind aber nicht die der Kinder. Kinder sehen die Welt mit ihren Augen und bilden sie auch anders ab. Wenn Eltern die Maßstäbe der Erwachsenen an die Leistungen ihrer Kinder anlegen, werden diese oft enttäuscht.

Kritik erstickt die Spielfreude
Manche Eltern meinen, sie müßten immer wieder ihr Kind darauf aufmerksam machen, wenn etwas unvollkommen oder falsch ist. Wenn Kinder immer wieder Sätze wie die folgenden zu hören bekommen, dann verlieren sie die Freude am Spiel und werden in ihrer ganzen Haltung unsicher: »So macht man das aber nicht, einen Turm baut man

doch so ...« – »Was hast du denn da für ein komisches Haus gemalt?«
Eltern sollten sich deshalb davor hüten, ständig als Lehrmeister das
Spiel ihres Kindes zu kritisieren. Das Kind spürt sehr gut, daß die Eltern
mit seinem Werk nicht zufrieden sind und von ihm etwas erwarten, zu
dem es eigentlich noch nicht in der Lage ist. Das Kind erfährt durch die
Kritik der Eltern ständig Mißerfolge und wagt zukünftig immer weniger,
und seine schöpferischen Kräfte werden so systematisch unterdrückt.

Eine Leistung will mit ehrlichem Lob bedacht sein
Für das Kind ist es wichtig, daß es anerkannt wird. Es geschieht häufig,
daß Kinder sich im Spiel völlig verausgaben und mit höchster Konzentration bei der Sache sind. Anschließend wollen sie aber auch, daß ihre
Leistung beachtet, anerkannt und gelobt wird. Anerkennung und Lob
müssen aber immer echt sein, denn Kinder spüren sehr schnell, ob ein
Lob ehrlich gemeint oder geheuchelt ist. Eltern sollten jedoch nicht
häufig zu überschwenglich loben, auch dies wirkt mit der Zeit unecht.
Viel wichtiger ist oft, daß sie ihre eigene Tätigkeit einmal unterbrechen
und ihr Kind nicht immer vertrösten, sondern ihm seine Aufmerksamkeit schenken, interessiert zuschauen, sich erklären lassen, alles be-
gutachten, sich mit dem Kind über seine Leistungen freuen und ihm immer wieder Zärtlichkeiten schenken.

Das Spiel hat seine eigenen Gesetze
Das Spiel der Kinder und ihre Spielwelt anzuerkennen, verlangt von
den Eltern, daß sie den Kindern wirklich Zeit zum Spielen lassen und ihr
Spiel respektieren. Wer sein Kind immer wieder beim Spiel unterbricht,
wird feststellen, daß es dem Kind mit der Zeit schwerfällt, sich länger zu
beschäftigen. Das kindliche Spiel hat seine eigenen Gesetze. Wir Erwachsenen vergessen zu oft, daß die Spielwelt des Kindes nicht mit der
Erwachsenenwelt zu vergleichen ist. Eltern sollten Geduld haben, damit das Kind Zeit hat, das Spiel oder Spielmaterial zu begreifen, die ge-
stellte Spielaufgabe zu bewältigen oder den Eltern etwas zu zeigen. Die
Reaktionen von Kleinstkindern sind viel langsamer als die eines Erwachsenen, besonders dann, wenn neu erworbene Fähigkeiten des
Kindes erwartet werden.

Mit Hingabe spielen Kinder dort, wo sie sich wohl fühlen
Schon Kleinstkinder brauchen »ihren Platz« zum Spielen. Sie brauchen
aber hierbei auch die Nähe eines vertrauten Menschen. Sie dürfen
deswegen nicht in »ihr Zimmer« abgeschoben werden, sondern müssen auch im Wohnzimmer oder in der Küche spielen dürfen und können. D. h. sie brauchen hier auch unbedingt »ihren Platz«, wo sie frei
spielen können und nicht dauernd aufräumen müssen, nur weil vielleicht Besuch kommt oder weil jetzt geputzt werden muß.

Kleidung darf das Spiel des Kindes nicht einengen
Kinder lassen sich durch ihre Kleidung beim Spielen nicht gerne einengen. Intensives Spiel erfaßt das ganze Kind, und in seinem Spieleifer vergißt es einfach, daß es sich auch schmutzig macht. Dies ist ganz normal und notwendig, und Eltern sollten hierin keine Bosheit oder Absicht des Kindes vermuten. Kinder brauchen deshalb beim Spielen angemessene Kleidung. Sie werden auch leicht zu warm angezogen. Eltern vergessen, daß das Kind ununterbrochen tätig ist. Vor allem zu Hause brauchen Kleinstkinder noch keine Schuhe, Wollsocken sind für die Entwicklung ihrer Fußmuskulatur am geeignetsten. Babys macht es ganz besonderen Spaß nackt zu sein. Ohne Windeln und beengende Kleidung haben sie viel besser die Möglichkeit, neue körperliche Fertigkeiten zu entdecken und zu üben.

Allzuviel Spielzeug ist ungesund
Leider besitzen heute schon die meisten Kleinstkinder zu viele Spielmaterialien. Ihnen fällt es dann oft sehr schwer, sich für ein bestimmtes Spiel zu entscheiden. Sie sitzen oft untätig in ihrem Spielzimmer, welches einem Spielzeuggeschäft gleicht, und spielen immer nur gelegentlich und für kurze Zeit. Von Zeit zu Zeit sollten daher immer wieder Spielmaterialien ausgetauscht werden, vor allem die, mit denen das Kind noch nichts anfangen kann. Durch ein ständiges Überangebot hindern wir unsere Kinder daran, mit einem Spielgegenstand vertraut zu werden und selbst Spielvariationen zu erfinden.
Wenn Eltern mit ihrem Kind spielen, und das Spiel erweist sich als zu schwierig für das Kleinstkind, so sollten sie dieses Spiel auf einen späteren Zeitpunkt verschieben. Eine andere Möglichkeit ist die, daß die Eltern vom Schwierigkeitsgrad her das Spiel aufbauen, d. h. wenn es einen Turm bauen soll, geben sie ihm zunächst drei oder vier Bausteine anstatt sofort alle zwölf Bausteine.

Kleinstkinder wollen und müssen auch allein spielen
Es ist jedoch keineswegs immer ratsam, daß die Eltern zu jeder Zeit mit dem Kind spielen und es anregen wollen. Auch schon Kleinstkinder wollen und müssen allein spielen können. Eltern mischen sich nur allzugern mit gut gemeinten Ratschlägen ein. Kinder müssen auch selbst erforschen und erproben, denn gerade durch dieses selbsttätige Spiel macht das Kind auch wertvolle und interessante Erfahrungen. Einspringen und helfen sollte man daher erst, wenn das Kind nicht weiterweiß und unglücklich darüber ist.

Kleinstkinder benötigen auch Gleichaltrige als Spielpartner
Auch schon Kleinstkinder brauchen den Kontakt zu anderen Kleinstkindern. Solche mitmenschlichen Kontakte sind für jedes Kleinstkind

außerordentlich wichtig, und wir müssen helfen, daß sie zustandekommen, damit die Kinder nicht isoliert aufwachsen, bis sie in den Kindergarten kommen. Die Spieltätigkeit anderer Kleinstkinder wirkt augenscheinlich auf das einzelne Kind erregend und anregend. Das Spielinteresse wird so immer wieder auf neue Dinge gelenkt, ein Drang des Auch-können-Wollens wird deutlich sichtbar. Zwar gilt es, die anfänglichen Schwierigkeiten zu überwinden, die fast immer auftreten, wenn kleine Kinder zum erstenmal miteinander spielen – das Spielmaterial wird meistens zum Zankapfel –, jedoch klappt es mit der Zeit immer besser. Konflikte werden allerdings immer wieder auftreten und sollten auch nicht unterdrückt werden, denn nur so lernen die Kinder mit der Zeit, diese Konflikte selbständig zu lösen. Trotz der oftmaligen Auseinandersetzungen empfindet das Kleinstkind die Anwesenheit anderer Kinder, das Beieinandersein, als äußerst angenehm. Zwar kann man bei Kleinstkindern noch nicht von einem konstruktiven Miteinander-Spielen sprechen, es ist eher ein zufälliges, aber angenehmes Beieinander. Dieser Kontakt ist ein ganz wichtiger Schritt zur Sozialisation, dem Prozeß, durch den Kinder Fähigkeiten entwickeln, die für ein wirksames Bestehen in der Gesellschaft, in der sie leben, wesentlich sind. So lernen sie z. B., daß sie ihre Wünsche und Forderungen nicht mehr vorbringen und durchsetzen können, wann und wo sie wollen (Spielmaterial auch anderen Kindern einmal zu überlassen).

Jedes Kind ist anders
Jedes Kind ist anders – deshalb sollten Eltern ihr Kleinstkind nicht ständig mit anderen vergleichen. Überlegungen wie:»Warum dreht sich das Kind der Nachbarin schon auf den Bauch und mein Kind noch nicht, obwohl sie gleich alt sind?« sind völlig unangebracht. Auch sollten Eltern es nicht mit dem Entwicklungsverlauf evtl. älterer Geschwister vergleichen. Ein gesundes Kind wird schon alles zur rechten Zeit lernen. Oft folgt nach einer offensichtlichen Verzögerung eines Entwicklungsabschnittes nach kurzer Zeit eine Beschleunigung, und alles wird aufgeholt. Es ist daher wichtig, daß man die individuelle Persönlichkeit des Kindes respektiert und es nicht ängstlich mit anderen vergleicht, denn es kann sein, daß es dieses fühlt und vielleicht sein Selbstvertrauen verliert.

Zum Umgang mit den Spielanregungen
Kommen wir nun zu unseren ·Spielanregungen. Die Reihenfolge der Spiele entspricht nicht absolut dem Reifungsprozeß des Kindes, da alle Kinder unterschiedlich aufgrund ihres Entwicklungsstandes und ihres Interesses auf diese Spiele reagieren. Diese besondere Individualität macht das Kind einzigartig, darum sollte man auch keinesfalls versuchen, es einem Plan, irgendeiner Reihenfolge oder irgendeinem Lei-

stungsniveau zu unterwerfen. Den Weg weist das Kind, und das Schlüsselwort heißt Spiel. Und vergessen sollten Eltern deshalb nicht, was allen Spielen gemeinsam ist: Eltern und Kind sollen miteinander spielen, sich miteinander freuen und miteinander wachsen. D. h. auch, dem Kind die unbeschwerte Freude an seinem Erforschen und Entdecken zu erhalten und diese zu pflegen. Je mehr es erforscht und entdeckt, um so mehr Erfahrungen macht es, und um so größer ist seine Lernbereitschaft. Der bekannte Entwicklungspsychologe Jean Piaget sagte einmal: »Je mehr ein Kind erforscht, um so mehr will es wissen«. Je mehr es erfährt, um so deutlicher wird es seinen Eltern auch zu verstehen geben, wann es neue, andere Spiele interessieren. Es ist deshalb wichtig, daß Eltern dies nie vom Kind verlangen, bevor es bereit dazu ist. Es fühlt sich sonst einem Leistungsdruck unterworfen, der für das Spiel und die gesamte Entwicklung des Kindes schädlich ist.
Wenn Eltern Geduld haben und versuchen, mit den Augen des Kindes seine Wünsche und Bedürfnisse zu beurteilen, und nicht auf rasche, spektakuläre Erfolge rechnen, ist dies die einzige Möglichkeit, überhaupt dauerhafte Erfolge zu erzielen. Wenn man jedoch verbissen versucht, ohne Freude mit dem Kind zu spielen, nur um das Kind zu »fördern«, wird das Kind dies spüren – und es wird vieles verlorengehen.

Kein »Trimm-Programm« für Kleinstkinder
Es handelt sich bei den Spielanregungen deshalb auch um kein Training, gesunde Kleinstkinder brauchen keine »Schulung« und kein mühevolles »Trimm-Programm«. Sie lernen ganz »nebenbei«, einfach weil es ihnen Spaß macht. Allerdings können die Eltern hieran teilhaben, und sie sollten, wenn sie die Spielanregungen als Beispiele ansehen, sie auch nach ihren Vorstellungen weiterentwickeln. Eigene Phantasie und Spontaneität für eigene Spiele dürfen niemals verlorengehen!

2. Singen mit Kleinstkindern

In den ersten Lebensjahren sammelt das Kind seine musikalischen Erfahrungen in der nächsten Umwelt, meistens durch die Eltern. Es hört sie singen und möchte auch gerne selber singen. Es horcht ihnen lange und aufmerksam zu und läßt sich nicht ablenken, da es von ihrem Lied so gefesselt ist. Es ist ganz Ohr und voller Lust und Bereitschaft, das gehörte Lied in seine Sprache zu übertragen und nachzusingen. Eltern sollten deshalb ihrem Kind von Anfang an viel vorsingen: Kinderlieder, Volkslieder, Schlager, alles, was ihnen gerade so einfällt und dem Kind Freude macht. Kennen Eltern eine andere Textfassung oder eine etwas andere Melodie, als sie sie in der nachfolgenden Liedersammlung vorfinden, sollten sie beherzt ihre eigene Fassung ihrem Kind weitergeben. Stößt man sich vielleicht an einigen altertümlichen Ausdrücken oder Wendungen, so möge man bedenken, daß nicht der Verstand, sondern auch die Phantasie eines Kindes Nahrung braucht und daß gerade solche Ausdrücke oft ein Leben lang haftenbleiben. Singen regt bei Kleinstkindern nicht nur das Hören an, sondern weckt bei ihnen auch bestimmte Gefühle. Kleinstkinder lieben es, wenn das Zubettgehen etwas ritualisiert wird, daß der Teddybär oder die Puppe auch schlafengelegt wird und einen Gutenacht-Kuß bekommt; zusätzlich kann ihm auch, wenn es liegt, ein Lied vorgesungen werden, wobei ihm sanft über sein Köpfchen gestreichelt wird. Dies ist für das Kind ein befriedigender und glücklicher Ausklang des Tages.
Wenn Eltern ihrem Kind so immer etwas vorsingen, möglichst jeden Tag, wird es nach einiger Zeit versuchen, selber mitzusingen. Dabei übt es seine Ausdrucksfähigkeit und seine Stimme.
Singen ist für Kinder eine elementare Lebensäußerung, und es wäre deshalb falsch, diese Bedürfnisse zu beschneiden oder gar verkümmern zu lassen.
Die Lust zum Singen ist sehr groß. Singend begleitet es seine Bewegungen und sein Spiel. Singen bedeutet für das Kind Freude und Zufriedenheit. Singen hängt aber auch mit der Entwicklung der Sprache zusammen, wie auch mit der späteren Fähigkeit, nach einer bestimmten, festgelegten Melodie zu singen.
Das Singen von Kleinstkindern ist noch sehr spontan und in der Art eines Sprechgesanges. Die Stimme spricht locker und leicht, selbst wenn gebrüllt wird. Im Gegensatz zum melodischen sind sie auf dem

rhythmischen Gebiet weniger spontan. Obwohl ihre gesungenen Lieder deshalb auch noch kaum rhythmisch gegliedert sind, hören und erfreuen sie sich an rhythmisch bewegten Liedern. Harmonie, Schlichtheit und anregender Takt waren deshalb die Hauptgesichtspunkte, nach denen die Lieder für dieses Buch ausgesucht wurden. Der Melodiebereich ist dem kindlichen Stimmumfang angepaßt, der etwa von d' bis d'' reicht.

Selbst wenn das Kleinstkind nachsingt oder versucht mitzusingen, will und wird es auf seine eigene spontan-schöpferische Mitgestaltung nicht verzichten, es greift oft in den Melodienablauf ein und gibt ihm sein persönliches Gepräge. Lieder müssen deshalb nicht »richtig« gesungen werden. Das Kind wird nachher bekannte und unbekannte Lieder, die ihm gerade in den Sinn kommen, auf seine Art zu Ende singen.

Lieder sind in erster Linie zum Singen da, wo jedoch Blockflöte, Gitarre oder Klavier im Hause sind, sollte man sich ihrer bedienen. Meist genügen bereits bescheidene Fertigkeiten, um das gesungene und gespielte Lied für das Kind zu einem Erlebnis zu machen.

Lieder kann man auch spielen. Schon bei ganz kleinen Kindern läßt sich beobachten, in welch engem Zusammenhang Melodie und Bewegung stehen. Das Kind reagiert unmittelbar mit seinem ganzen Körper auf die Melodie. Spontan und frei bewegt es sich und erfreut sich am Rhythmus des Liedes. So wie es seinen ganzen Körper nach der Melodie bewegt, so kann es dies auch mit seinen Händen und Fingern tun. Bei »Es klappert die Mühle am rauschenden Bach« oder »Backe, backe Kuchen« ist dies besonders beliebt. Es spielt Regentropfen, indem es mit den Fingernägeln auf die Tischplatte tippt. Gerade diese Lieder machen auch schon den Allerkleinsten größte Freude, wenn die Eltern ihnen das Lied vorsingen und dabei die Händchen führen, bald wird es dies dann ganz allein können und wollen. Von daher haben wir nach Möglichkeit bei allen Liedern Anregungen beigefügt, damit sie für das Kind noch attraktiver gestaltet werden können und auch die Beziehung zu seinen Eltern noch intensiviert wird.

1. Uhren-Kanon

Melodie und Text: Karl Karow, 1790–1863

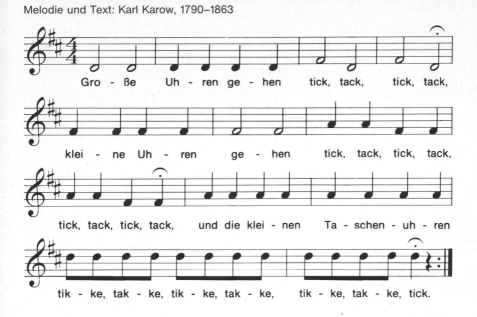

Gro - ße Uh - ren ge - hen tick, tack, tick, tack,

klei - ne Uh - ren ge - hen tick, tack, tick, tack,

tick, tack, tick, tack, und die klei - nen Ta - schen - uh - ren

tik - ke, tak - ke, tik - ke, tak - ke, tik - ke, tak - ke, tick.

Sobald Ihr Kind sitzen kann, wird es ihm Spaß machen, wenn es bei Ihnen von Angesicht zu Angesicht auf dem Schoß sitzt und Sie das Kind dem Text entsprechend leicht nach links und nach rechts neigen. Zuerst wird das Kind beim »tick-tack« der großen Uhren nur langsam nach links und rechts geneigt, beim »tick-tack« der kleinen Uhren schon schneller und beim »ticke-tacke« der Taschenuhren am schnellsten, allerdings auch nur so schnell, wie es ihm Freude macht.

2. Meine Nase ist verschwunden

Die Melodie darf frei erfunden werden.

Meine Nase ist verschwunden, ich habe keine Nase mehr,
ei, da ist die Nase wieder, trallallallala.

Der genannte Körperteil wird im ersten Teil des Liedes versteckt, er erscheint im zweiten Teil wieder, ebenso verfahren wir mit Augen, Mund, Händen etc.

31

3. Jetzt steigt Hampelmann

Jetzt steigt Ham - pel - mann, jetzt steigt Ham - pel - mann aus

sei - nem Bett her - aus, aus sei - nem Bett her - aus.

Oh, du mein Ham-pel-mann, mein Ham-pel-mann bist du!

Man bettet zwei Finger, die den Hampelmann darstellen sollen, der einen Hand in die andere Hand. Die beiden Finger richten sich auf und krabbeln anschließend bei »mein lieber Hampelmann bist du!« dem Kind unter das Kinn.

4. Hoppe hoppe Reiter

Nach der bekannten Weise

Hoppe hoppe Reiter,
wenn er fällt, dann schreit er.
Fällt er in den Teich,
find ihn keiner gleich.
Fällt er in die Hecken,
fressen ihn die Schnecken,
fressen ihn die Mücken,
die ihn immer zwicken.
Fällt er in den tiefen Schnee,
dann gefällts ihm nimmermeh.
Fällt er in den Graben,
fressen ihn die Raben.
Fällt er in den Sumpf,
macht der Reiter plumps.

Bei diesem Spiel sitzt das Kind auf den Knien der Mutter oder des Vaters. Die Beine des »Pferdes« werden auf und ab und hin und her bewegt. Der kleine »Reiter« hält sich mit den Händen fest und jauchzt vor Vergnügen. Es macht besonderen Spaß, wenn man das Tempo gegen Ende immer mehr steigert. Zum Schluß läßt man das Kind (beinahe) hinunterplumpsen, indem man die Beine ausstreckt oder sie spreizt.

5. Zeigt her eure Füßchen

Volkstümliches Spiellied aus dem 19. Jahrhundert

2. Sie wringen, sie wringen,
sie wringen den ganzen Tag…

3. Sie hängen, sie hängen,
sie hängen den ganzen Tag…

4. Sie legen, sie legen,
sie legen den ganzen Tag…

5. Sie tanzen, sie tanzen,
sie tanzen den ganzen Tag…

Bei mehreren Personen stehen Sie im Kreis, setzen abwechselnd den linken und den rechten Fuß vor und führen dann die dem Text entsprechenden Bewegungen mit den Händen aus. Sind Sie mit Ihrem Kind alleine, stehen Sie sich gegenüber und ahmen so die entsprechenden Bewegungen nach.

6. Hänschen klein

Altes Kinderlied

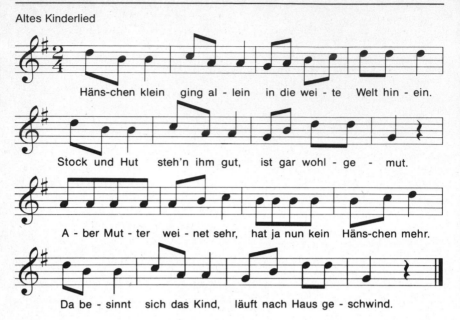

Häns-chen klein ging al - lein in die wei - te Welt hin - ein.

Stock und Hut steh'n ihm gut, ist gar wohl - ge - mut.

A - ber Mut - ter wei - net sehr, hat ja nun kein Häns-chen mehr.

Da be - sinnt sich das Kind, läuft nach Haus ge - schwind.

Hier können Sie pantomimisch einzelne Sätze des Liedes nachspielen; Beispiel: »aber Mutter weinet sehr, hat ...«. – Sie stellen sich traurig und reiben Ihre Augen, dann winken Sie, so, als ob Sie sich verabschieden.

7. Wer will fleißige Handwerker sehn

Volkstümliches Spiellied

Wer will flei-ßi-ge Hand-wer-ker sehn, der muß zu uns Kin-dern gehn.

Stein auf Stein, Stein auf Stein, das Häus-chen wird bald fer-tig sein.

2. Wer will fleißige Handwerker sehn,
der muß zu uns Kindern gehn.
O wie fein, o wie fein,
der Glaser setzt die Scheiben ein.

3. Wer will fleißige Handwerker sehn,
der muß zu uns Kindern gehn.
Tauchet ein, tauchet ein,
der Maler streicht die Wände fein.

4. Wer will fleißige Handwerker sehn,
der muß zu uns Kindern gehn.
Zisch zisch zisch, zisch zisch zisch,
der Tischler hobelt glatt den Tisch.

Auch hier macht es dem Kind große Freude, die einzelnen Strophen entsprechend pantomimisch zu begleiten. Beispiel: Bei »Tauchet ein, tauchet ein, der Maler streicht die Wände fein«, tun Sie so, vielleicht gemeinsam mit Ihrem Kind, als ob Sie einen Pinsel in der Hand haben und Tisch, Tür oder andere Dinge anstreichen.

8. Ein Männlein steht im Walde

Volkslied
Text: Hoffmann von Fallersleben, 1798–1874

Ein Männ-lein steht im Wal - de ganz still und stumm; es hat von lau - ter Pur - pur ein Mänt - lein um. Sagt, wer mag das Männ - lein sein, das da steht im Wald al - lein mit dem pur - pur - ro - ten Män - te - lein?

2. Das Männlein steht im Walde
auf einem Bein
und hat auf seinem Haupte
schwarz Käpplein klein.
Sagt, wer mag das Männlein sein,
das da steht im Wald allein
mit dem kleinen schwarzen Käppelein?

(Des Rätsels Lösung:
Das Männlein mit seinem roten Mäntelein
und seinem schwarzen Käppelein
kann nur die Hagebutte sein).

Hier können Sie pantomimisch einzelne Sätze des Liedes nachspielen; Beispiel: »steht im Walde ganz still und stumm«, – Sie stehen ganz still und bewegen sich nicht; »Sagt, wer mag das Männlein sein, das . . .«, – Sie zeigen in eine Richtung oder auf eine Person.

9. Es klappert die Mühle am rauschenden Bach

Volksweise
Text: Ernst Anschütz, 1780–1861

Es klap - pert die Müh - le am rau - schen - den
Bach, klipp - klapp. Bei Tag und bei
Nacht ist der Mül - ler stets wach, klipp - klapp.
Er - mah - let das Korn zu dem täg - li - chen
Brot, und ha - ben wir die - ses, so hat's kei - ne

Not. Klipp - klapp,   klipp - klapp,   klipp - klapp.

2. Flink laufen die Räder und drehen den Stein,
klipp-klapp,
und mahlen den Weizen zu Mehl uns so fein,
klipp-klapp.
Der Bäcker dann Brote und Kuchen draus bäckt,
was stets allen Kindern besonders gut schmeckt.
Klipp-klapp, klipp-klapp.

Bei »klipp-klapp« kann in die Hände geklatscht werden.

10. Bruder Jakob

Kanon zu 4 Stimmen, Worte und Weise: volkstümlich aus Frankreich

Bru-der Ja-kob, Bru-der Ja-kob! Schläfst du noch? Schläfst du

noch? Hörst du nicht die Glok-ken? Hörst du nicht die

Glok - ken? Ding ding dong, ding ding dong!

**Bei »schläfst du noch« werden die aneinandergehaltenen Hände an ei-
ne Wange gelegt und er Kopf seitlich geneigt (Schlafstellung). Beim
»ding, ding, dong« tut man so, als ob man wach wird, um anschließend
die verschlafenen Augen zu reiben und sich zu recken und zu strecken.**

11. Brüderlein, komm, tanz mit mir

Aus der Märchenoper „Hänsel und Gretel"
von Engelbert Humperdinck, 1854–1921

Brü-der-lein, komm tanz mit mir! Bei-de Hän-de reich' ich dir.

Ein-mal hin, ein-mal her, rund-her-um, das ist nicht schwer.

2. Ei, das hast du gut gemacht,
ei, das hätt ich nicht gedacht.
Einmal hin, einmal her,
rundherum, das ist nicht schwer.

3. Noch einmal das schöne Spiel,
weil es mir so gut gefiel.
Einmal hin, einmal her,
rundherum, das ist nicht schwer.

Sie reichen Ihrem Kind die überkreuzten Hände, tanzen mit ihm und ziehen jeweils bei »einmal hin und einmal her« rechts bzw. links leicht am Arm Ihres Kindes; während Sie bei »rund herum« nur noch eine Hand des Kindes festhalten und es einmal vorsichtig drehen.

12. Komm wir wollen tanzen gehn

Melodie »Brüderchen komm tanz mit mir«

1. Komm wir wollen tanzen gehn
keiner darf jetzt stille stehn,
einmal hin, einmal her,
rings herum, das ist nicht schwer.

2. Mit den Händchen klatsch, klatsch, klatsch
mit den Füßen patsch, patsch, patsch, einmal hin...

3. Mit dem Köpfchen nick, nick, nick
mit dem Fingerchen tick, tick, tick,
einmal hin...

Sie haken sich jeweils mit einem Arm ein (der Erwachsene muß dabei natürlich in die Hocke gehen) und drehen sich einmal nach links und einmal nach rechts (Arm wechseln) herum. Bei der zweiten Strophe stehen Sie sich gegenüber, klatschen einmal in die Hände und stampfen mit den Füßen auf den Boden, während bei der dritten Strophe der Kopf nach links und rechts nickt und die Finger an die Stirne tippen.

13. Ich bin ein Musikante

Melodie und Text mündlich überliefert

2. Ich bin ein Musikante und komm aus Schwabenland.
Ich kann auch spielen auf meiner Geige!
Didl-schumm-schumm-schumm,
didl-schumm-schumm-schumm...

3. Ich bin ein Musikante und komm aus Schwabenland.
Ich kann auch spielen auf meiner Trommel!
Tromm-tomm-ter-rom,
tromm-tomm-ter-rom...

Die verschiedenen Musikinstrumente können hier pantomimisch nachgeahmt werden.

14. Wollt ihr wissen, wie's die kleinen Mädchen machen?

Worte und Weise: volkstümliches Spiellied

2. Wollt ihr wissen, wollt ihr wissen wie's die kleinen Buben machen? Peitschen knallen, Peitschen knallen, alles dreht sich herum.

3. Wollt ihr wissen, wollt ihr wissen wie's die großen Mädchen machen? Knickschen machen, Knickschen machen, alles dreht sich herum.

4. Wollt ihr wissen, wollt ihr wissen wie's die jungen Herrchen machen? Hut abnehmen, Hut abnehmen, alles dreht sich herum.

Auch hier stellen Sie, während gesungen wird, die einzelnen Sätze pantomimisch dar. Beispiel: »Püppchen wiegen, alles dreht sich herum«; bei diesem Satz können Sie Ihr Kind in den Arm nehmen und wiegen, oder Sie tun so, als ob Sie eine Puppe auf dem Arm haben, und machen auch entsprechend eine Drehung.

15. In dem Wald steht ein Haus

In dem Wal-de   steht ein Haus,   guckt ein klei-nes   Männ-lein 'raus,

kommt ein Häs-lein   an-ge-rannt,   klop-fet an die   Wand.

„Hilf, ach hilf, ach   hilf mir doch,   sonst schießt mich der   Jä-ger tot!"

„Lie-bes Häs-lein,   komm her-ein,   reich mir dei-ne   Hand."

Mit den Händen ein Dach bilden. »Brille« vor die Augen halten. Mit den Fingern »Laufen« andeuten. In die Hände klatschen. Hinauf winken. Schießgewehr anlegen. Herein winken. Hände reichen.

16. Backe, backe Kuchen

Bak - ke, bak - ke Ku- chen, der Bäk - ker hat ge - ru - fen!

Wer will gu-ten Ku-chen bak-ken, der muß ha-ben sie-ben Sa-chen:

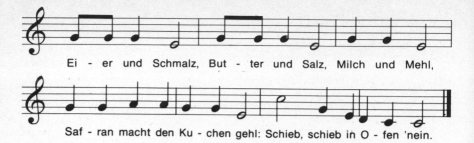

Ei - er und Schmalz, But - ter und Salz, Milch und Mehl,

Saf - ran macht den Ku - chen gehl: Schieb, schieb in O - fen 'nein.

Bei „backe, backe" kann in die Hände geklatscht werden.

17. Hopp, hopp, hopp

Melodie: Carl Gottlieb Hering, um 1807
Text: Carl Hahn

Hopp, hopp, hopp, Pferd - chen lauf Ga - lopp!

Ü - ber Stock und ü - ber Stei - ne, a - ber brich dir nicht die Bei - ne.

Hopp, hopp, hopp, hopp, hopp, Pferd - chen lauf Ga - lopp!

2. Brr, brr, he!
Steh doch, Pferdchen, steh!
Sollst schon heute weiterspringen,
muß dir nur erst Futter bringen.
Brr, brr, brr, brr, he,
steh doch, Pferdchen, steh!

Bei diesem Lied sitzt das Kind wieder auf Ihrem Schoß. Zur ersten Strophe wird »geritten«, während Sie sich beim ersten Teil der zweiten Strophe ruhig verhalten. Anschließend kann die erste Strophe wiederholt werden.

18. Summ, summ, summ

Böhmische Volksweise
Text: Hoffmann von Fallersleben, 1798–1874

Summ, summ, summ, Bien-chen, summ her - um!
Ei, wir tun dir nichts zu-lei-de, flieg nur aus in Wald und Hei-de!
Summ, summ, summ, Bien-chen, summ her - um!

2. Summ, summ, summ,
Bienchen, summ herum!
Such in Blumen, such in Blümchen
dir ein Tröpfchen, dir ein Krümchen!
Summ, summ, summ,
Bienchen, summ herum!

3. Summ, summ, summ,
Bienchen, summ herum!
Kehre heim mit reicher Habe,
bau uns manche volle Wabe!
Summ, summ, summ,
Bienchen, summ herum!

Sie bilden mit zwei zusammengehaltenen Fingern (Pinzettengriff) eine
Biene, lassen diese jeweils bei »summ, summ, summ« fliegen und tun
bei »ei, wir tun dir nichts zuleide« so, als ob Sie mit ihr sprechen, bzw.
bei »Such in Blumen« bildet die Hand Ihres Kindes eine Blüte, in der die
Biene sucht. Alles Weitere ist Ihrer Phantasie überlassen; vielleicht be-
gnügen Sie sich auch mit einer oder zwei Strophen.

19. Häschen in der Grube

Altes Spiellied
Text: Karl Enslin, 1819–1875

Häs - chen in der Gru - be saß und schlief, saß und

schlief; ar-mes Häs-chen, bist du krank, daß du nicht mehr hüp-fen kannst?

Häs - chen hüpf, Häs - chen, hüpf, Häs - chen, hüpf!

2. Häschen in der Grube nickt und weint.
Doktor, komm geschwind herbei,
Und verschreib dem Has Arznei;
Häschen schluck!

Häschen in der Grube hüpft und springt.
Häschen bist du schon kuriert?
Hui, das rennt und galoppiert!
Häschen hopp!

Ihr Kind hockt als Häschen auf dem Boden und stellt sich schlafend.
Wenn Sie »Häschen hüpf« oder »Häschen lauf« singen, springt bzw.
hüpft es davon.

20. Klein Häschen wollt spazieren gehn

Klein Häs - chen wollt spa - zie - ren - gehn, spa -

zie - ren ganz al - lein, da hat's das Bäch - lein

nicht ge - sehn, und plumps! fiel es hin - ein.

Sie nehmen wieder zwei Finger, die das Häschen darstellen sollen, und spazieren über den Tisch oder den ausgestreckten Arm Ihres Kindes, bei »und plumps! fiel es hinein«, fallen die beiden Finger von der Tischkante bzw. vom Arm.

21. Alle meine Entchen

Altes Kinderlied

Al - le mei - ne Ent - chen schwim - men auf dem See, schwim - men auf dem See; Köpf-chen in das Was - ser, Schwänz-chen in die Höh'.

2. Alle meine Entchen sind lustig auf dem See,
erst ziehen sie das eine Bein, dann's andre in die Höh'.

3. Alle meine Entchen schwimmen an das Land
und fangen an zu watscheln, es ist doch eine Schand'!

4. Alle meine Entchen werden jetzt ganz keck,
sie flattern und sie flattern und kommen nicht vom Fleck.

5. Alle meine Entchen schlafen jetzt schon ein,
sie stecken unters Flügelein ihr Schnäbelein hinein.

Hier können Sie mit der Hand Wasserwellen andeuten. Den Kopf nach vorn beugen. Auf dem emporgestreckten Hinterteil mit den Händen das Schwänzchen andeuten. Die weiteren Bewegungen ergeben sich aus dem Text.

22. Wule, wule, Gänschen

Volkstümlich

Wu - le, wu - le, Gäns-chen, wak - kelt mit dem Schwänz-chen,
wollt ihr wis-sen, wer ich bin? Ich bin die Frau Schnat - te - rin,
ihr seid mei - ne Kin - der, gi, ga, gei!

2. Komm, du meine Graue, und du, meine Blaue,
und du mit dem langen Zopf, und du mit dem dicken Schopf,
und du schwarzer Peter, gi, ga, gei,
und du schwarzer Peter, gi, ga, gei.

3. Seht, da sind sie alle fünfe ohne Schuh' und ohne Strümpfe,
hei, wie ist das Leben schön, wenn die Gänschen barfuß gehn,
selbst am lieben Sonntag, gi, ga, gei,
selbst am...

4. Schniebel, Schnabel, Schnäbel, kommt der Herbst mit Nebel,
Gänsebraten, Gänsefett, weiche Federn für das Bett,
freu'n sich alle Kinder, gi, ga, gei,
freu'n sich...

23. Die Täubchen

Ich öff - ne jetzt mein Tau - ben - haus, die

Täub-chen flie-gen ein und aus, sie put-zen ih-re
Flü-ge-lein im hel-len, kla-ren Son-nen-schein.

2. Im Felde, wo die Erbsen stehn,
da könnt ihr oft die Tauben sehn.
Ein' jede dort die Körnlein pickt
und fleißig mit dem Kopfe nickt.

3. Doch kreist der Geier in der Luft,
Ruku! ein Täubchen ängstlich ruft.
Im Häuschen sind sie dann im Nu,
und ich mach schnell das Türchen zu.

24. A, B, C, die Katz lief in den Schnee

Satz: Aus »Sang und Klang für's Kinderherz«,
herausgegeben von Engelbert Humperdinck, 1854–1921

A, B, C, die Katz lief in den Schnee und
wie sie wie-der raus kam, da hatt' sie wei-ße Stie-fel-chen an, o
je-mi-ne, o je-mi-ne, o je-mi-ne, o je!

2. A, B, C,
Die Katze lief zur Höh!
Sie leckt ihr kaltes Pfötchen rein
Und putzt sich auch die Stiefelein,
Und ging nicht mehr, und ging nicht mehr,
Und ging nicht mehr in Schnee.

25. Kommt a Vogerl geflogen

Volksweise aus Österreich, um 1822
Text: Wenzel Müller

Kommt a Vogerl geflogen, setzt sich nieder auf mein Fuß, hat a Zetterl im Schnabel, von der Mutter an Gruß.

2. Liebes Vogerl, flieg weiter,
nimm ein Gruß mit und ein Kuß,
denn ich kann dich nicht begleiten,
weil ich hierbleiben muß.

26. Fuchs, du hast die Gans gestohlen

Volksweise
Text: Ernst Anschütz, 1780–1861

Fuchs, du hast die Gans gestohlen, gib sie wieder her, gib sie wieder her! Sonst wird dich der Jäger holen mit dem Schießgewehr, sonst wird dich der Jäger holen mit dem Schießgewehr.

2. Seine große, lange Flinte
schießt auf dich den Schrot,
daß dich färbt die rote Tinte,
und dann bist du tot.

3. Liebes Füchslein, laß dir raten,
sei doch nur kein Dieb,
nimm, du brauchst nicht Gänsebraten,
mit der Maus vorlieb.

27. Vöglein, Mäuslein, Kinder

Vög-lein flie-gen aus dem Busch, husch, husch, husch,

husch, husch, husch! Vög-lein flie-gen aus dem Busch.

2. Mäuslein klopfen in dem Loch:
Poch, poch, poch, poch, poch, poch.
Mäuslein klopfen in dem Loch.

3. Und wir Kinder klatschen froh:
So, so, so, so, so, so.
Und wir Kinder klatschen froh.

Bei der ersten Strophe heben und senken Sie Ihre Arme. Bei der zweiten ist der Zeigefinger der rechten Hand das Mäuschen; die gekrümmte linke Hand bildet eine Öffnung zum Unterschlupf für das Mäuschen. Das Mäuschen klopft in dem Loch (auf dem Tisch).
Die dritte Strophe kann einmal laut und einmal leise gesungen werden.

28. Kuckuck, Kuckuck

Volksweise aus Österreich
Text: Hoffmann von Fallersleben, 1798–1874

Kuk - kuck, Kuk - kuck, ruft's aus dem Wald.

Las - set uns sin - gen, tan - zen und sprin - gen!

Früh - ling, Früh - ling wird es nun bald.

2. Kuckuck, Kuckuck läßt nicht sein Schrein.
Kommt in die Felder, Wiesen und Wälder!
Frühling, Frühling, stelle dich ein!

3. Kuckuck, Kuckuck, trefflicher Held!
Was du gesungen, ist dir gelungen:
Winter, Winter räumet das Feld.

29. Alle Vögel sind schon da

Alte Volksweise
Text: Hoffmann von Fallersleben, 1798–1874

Al - le Vö - gel sind schon da, al - le Vö - gel,

al - le! Welch ein Sin - gen, Mu - si - ziern,

Pfei - fen, Zwit-schern, Ti - ri - liern! Früh-ling will nun

ein - mar - schiern, kommt mit Sang und Schal - le.

2. Wie sie alle lustig sind,
flink und froh sich regen!
Amsel, Drossel, Fink und Star
und die ganze Vogelschar
wünschen uns ein frohes Jahr,
lauter Heil und Segen.

3. Was sie uns verkünden nun,
nehmen wir zu Herzen:
Wir auch wollen lustig sein,
lustig wie die Vögelein,
hier und dort, feldaus, feldein,
singen, springen, scherzen.

30. Trarira, der Sommer der ist da

Satz: Aus »Sang und Klang für's Kinderherz«,
herausgegeben von Engelbert Humperdinck, 1854–1921

Tra - ri - ra, der Som - mer der ist da! Wir
wol - len in den Gar - ten und auf den Som - mer war - ten.
Ja, ja, ja! Der Som - mer der ist da.

2. Trarira, der Sommer der ist da!
Wir wollen zu den Hecken
Und woll'n den Sommer wecken.

3. Trarira, der Sommer der ist da!
Der Sommer hat's gewonnen,
Der Winter hat's verloren.

31. Laterne, Laterne

Kinderlied aus Holstein

La - ter - ne, La - ter - ne, Son - ne, Mond und

Ster - ne. Bren - ne auf, mein Licht, bren - ne auf, mein Licht, a - ber

nur mei - ne lie - be La - ter - ne nicht.

32. Ich geh mit meiner Laterne

Worte und Weise: volkstümlich
in Norddeutschland (Hamburg)

Ich geh mit mei-ner La - ter-ne, und mei-ne La-ter-ne mit mir. Dort

o - ben leuch-ten die Ster-ne, hier un - ten, da leuch-ten wir.

Mein Licht ist aus, wir gehn nach Haus. La-bim-mel, la-bam-mel, la-bum.

33. Leise rieselt der Schnee

Text und Melodie: Eduard Ebel, 1839–1905

Lei - se rie - selt der Schnee, still und starr liegt der

See, weih - nacht - lich glän - zet der Wald,

freu - e dich, Christ - kind kommt bald.

2. In den Herzen ist's warm,
still schweigt Kummer und Harm,
Sorge des Lebens verhallt,
freue dich, Christkind kommt bald!

3. Bald ist Heilige Nacht,
Chor der Engel erwacht,
hört nur, wie lieblich es schallt:
Freue dich, Christkind kommt bald.

34. Morgen Kinder wird's was geben

Aus: Lieder zur Bildung des Herzens, Berlin 1795

Mor - gen, Kin - der, wird's was ge -ben, mor - gen wer - den

wir uns freun! Welch ein Ju - bel, welch ein Le - ben

wird in un - serm Haus - se sein. Ein - mal wer - den

wir noch wach, hei - ßa, dann ist Weih - nachts - tag!

2. Wie wird dann die Stube glänzen
von der großen Lichterzahl!
Schöner als bei frohen Tänzen
ein geputzter Kronensaal.
Wißt ihr noch, wie's vorges Jahr
an dem Heilgen Abend war?

3. Welch ein schöner Tag ist morgen!
Neue Freude hoffen wir.
Unsre guten Eltern sorgen
lange, lange schon dafür.
O gewiß, wer sie nicht ehrt,
ist die ganze Lust nicht wert.

35. Winter, ade

Fränkische Volksweise
Text: Hoffmann von Fallersleben, 1798–1874

Win - ter, a - de! Schei - den tut weh.

A - ber dein Schei - den macht, daß mir das Her - ze lacht.

Win - ter, a - de! Schei - den tut weh.

2. Winter, ade! Scheiden tut weh.
Gerne vergeß ich dein,
kannst immer ferne sein.
Winter, ade! Scheiden tut weh.

3. Winter, ade! Scheiden tut weh.
Gehst du nicht bald nach Haus,
lacht dich der Kuckuck aus.
Winter, ade! Scheiden tut weh.

36. Guten Abend, gut Nacht

Melodie: Johannes Brahms, 1833–1897
Text: Aus des Knaben Wunderhorn

Gu - ten A - bend, gut Nacht, mit Ro - sen be -

dacht, mit Näg - lein be - steckt, schlupf un - ter die

Deck! Mor - gen früh, wenn Gott will, wirst du wie - der ge -

weckt. Mor-gen früh, wenn Gott will, wirst du wie-der ge - weckt.

2. Guten Abend, gut Nacht,
von Englein bewacht,
die zeigen im Traum
dir Christkindleins Baum.
Schlaf nun selig und süß,
schau im Traum 's Paradies.

Eine Möglichkeit: Ihr Kind liegt zu Bett und Sie streicheln es, während Sie singen, über das Köpfchen. Dies kann für alle nachfolgenden Abend- und Schlaflieder gelten.

37. Der Mond ist aufgegangen

Melodie: Johann Abraham Peter Schulz, 1747–1800
Text: Matthias Claudius, 1740–1815

Der Mond ist auf - ge - gan - gen, die gold - nen Stern - lein

pran - gen am Him - mel hell und klar. Der

Wald steht schwarz und schwei - get, und aus den Wie - sen

stei - get der wei - ße Ne - bel wun - der - bar.

2. Wie ist die Welt so stille
und in der Dämmrung Hülle
so traulich und so hold
als eine stille Kammer,
wo ihr des Tages Jammer
verschlafen und vergessen sollt.

3. Seht ihr den Mond dort stehen?
Er ist nur halb zu sehen
und ist doch rund und schön!
So sind wohl manche Sachen,
die wir getrost belachen,
weil unsre Augen sie nicht sehn.

38. Schlaf, Kindlein, schlaf

Melodie: Johann Friedrich Reichardt, 1752–1814
Text: Aus des Knaben Wunderhorn

2. Schlaf, Kindlein, schlaf,
am Himmel ziehn die Schaf.
Die Sternlein sind die Lämmerlein,
der Mond, der ist das Schäferlein.
Schlaf, Kindlein, schlaf.

3. Schlaf, Kindlein, schlaf,
so schenk ich dir ein Schaf
mit einer goldnen Schelle fein,
das soll dein Spielgeselle sein.
Schlaf, Kindlein, schlaf.

39. Wer hat die schönsten Schäfchen

Melodie: Johann Friedrich Reichardt, 1752–1814
Text: Hoffmann von Fallersleben, 1798–1874

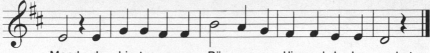

Mond, der hin-ter un-sern Bäu-men am Him-mel dro-ben wohnt.

2. Er kommt am späten Abend,
wenn alles schlafen will,
hervor aus seinem Hause
zum Himmel sanft und still.

3. Dann weidet er die Schäfchen
auf seiner blauen Flur,
denn all die weißen Sterne
sind seine Schäfchen nur.

4. Sie tun sich nichts zu Leide,
hat eins das andre gern,
wie Schwestern und wie Brüder
da droben Stern an Stern.

40. Müde bin ich, geh zur Ruh

Melodie aus dem Jahre 1817
Text: Luise Hensel, 1798–1876

Mü - de bin ich, geh zur Ruh, schlie - ße mei - ne Äug-lein zu;
Va - ter, laß die Au - gen dein ü - ber mei - nem Bet - te sein!

2. Hab ich Unrecht heut getan,
sieh es, lieber Gott, nicht an!
Deine Gnad und Jesu Blut
macht ja allen Schaden gut.

3. Alle, die mir sind verwandt
Gott, laß ruhn in deiner Hand!
Alle Menschen, groß und klein,
sollen dir befohlen sein.

4. Kranken Herzen sende Ruh,
nasse Augen schließe zu;
laß den Mond am Himmel stehn
und die stille Welt besehn.

3. Finger- und Krabbelspiele

Kleinstkinder haben Freude an Reimen und Fingerspielen; dies gilt sowohl für Babys, die noch strampelnd auf dem Wickeltisch liegen, als auch für Kinder, die uns gegenüber auf dem Schoß sitzen. Die Fingerchen sind eines der ersten Spielzeuge überhaupt. Diese Finger können alles darstellen, was das Kind in seiner Umwelt kennt. Alles was fliegt, rollt, zappelt, läuft, springt, sich hin und her, auf und ab bewegt, ahmt es mit Vergnügen nach. Wenn Eltern die kleinen Hände festhalten und sie hin- und herbewegen und wenn sie dabei die einzelnen Fingerchen anstoßen oder mit ihren Fingern zärtlich antippen, kitzeln oder krabbeln, ist das eines der schönsten Spiele für das Kleinstkind. Eltern und Kind gehen dabei gleiche Bahnen in ihrer seelischen Verbundenheit, das ungreifbare Hin und Her der Gefühle, die vertraute Zwiesprache zwischen Eltern und Kind, alles ist voneinander abhängig: das Lächeln, Sprechen, Liebkosen und Scherzen. Die vielen Kinderlieder und -reime, zu denen man Finger- und Krabbelspiele machen kann, dienen deshalb sowohl einer hörenden, sehenden und fühlenden Anregung als auch der gefühlsmäßigen Verbindung zur Bezugsperson. Gerade das gemeinsame Sprechen mit dem Kind ist für die geistig-seelische Entwicklung von Anfang an notwendig. Finger- und Krabbelspiele geben dem Kind gerade auch durch den körperlichen Kontakt das Gefühl von Geborgenheit und Zuneigung.

Frag doch mal die Großmutter
Diese Eigenschaft der Finger- und Krabbelspiele hat man schon vor Generationen erkannt und so auch von Generation zu Generation weitergegeben, denn unsere Kinder haben heute noch genausoviel Freude daran. Nur ist man heutzutage leider häufig dazu übergegangen, derartige Verse und Lieder auf Platten und Cassetten aufzunehmen; die starke Erregung und Freude, die diese Spiele vermitteln können, ist allerdings nur durch den engen persönlichen Kontakt zu Mutter oder Vater möglich.
Deshalb sind nachfolgend eine Reihe von Finger- und Krabbelspielen aufgeführt, die der Altersgruppe von Kleinstkindern entsprechen und die zu den unterschiedlichsten Situationen mit dem Kind gespielt werden können. Das Kind wird viel Freude an diesen Spielen haben und vielleicht auch noch weitermachen wollen, wenn es den Eltern keinen

Spaß mehr macht. Man sollte sich deshalb, wenn möglich, nach dem Kind richten. Der Reiz dieser Spiele liegt nämlich in der ständigen Wiederholung, die das Kind als Bestätigung empfindet.

1.

Guten Tag, ihr Beinchen,
heißt du Hampel,
heißt du Strampel,
heißt du Füßchen,
widewidewille
heißt du Füßchen
killekillekille?

Auf dem Wickeltisch hält das Kind die Beine nach oben. Sie nehmen eins nach dem andern in die Hand und bewegen es hin und her. Zum Schluß kitzeln Sie die Fußsohlen.

2.

Erst kommt der Marienkäferpapa,
dann kommt die Marienkäfermama,
und hinterdrein, ganz klimperklein,
Marienkäferlein.

Wenn das Kind auf dem Wickeltisch liegt, kommt erst ein Finger angekrabbelt, das ist der Papa. Dann kommt die Mama hinzu und zum Schluß krabbeln die ganzen Marienkäferkinderlein über Bauch und Brust des Kindes.

3.

Da kommt ein Bär,
er tappt daher
und fragt wo mein(e) liebe(r) (Name des Kindes)
wär

4.

Da kommt die Maus,
da kommt die Maus.
Klingelingeling!
Ist der (die) (Name des Kindes) zu Haus?

Die Maus (Ihre Finger) krabbelt den Arm hoch bis zum Ohr. Dort klingelt
sie am Ohrläppchen.

5.

Springt ein Mäuschen über die Hand,
trägt am Hals ein weißes Band.
Kommt das Kätzchen millimillimill,
sitzt das Mäuschen stillestillestill.
Doch nachher macht es killekillekill!

Solange der Spielvers gesprochen wird, steigen Ihr Zeige- und Mittelfinger am Körper hoch und krabbeln zum Schluß leicht am Hälschen.

6.

Es kommt ein Mäuschen,
will ins Häuschen,
will da rein, will da rein.

Sie laufen mit dem Zeige- und Mittelfinger am Bauch des Kindes hoch
und versuchen in den Kragen hineinzurutschen. Am Hals krabbeln Sie
mit Ihren Fingern besonders schnell.

7.

„Taler – Zahler,
Kühchen – Kälbchen,
Schwänzchen – Dideldideltänzchen!"

Zuerst streicheln Sie bei den einzelnen Reimwörtern über die Handfläche des Kindes, zuletzt jedoch wird darauf mit den Fingerspitzen ge-
kribbelt.

8.

Patsche, patsche Peter,
hinterm Ofen steht er,
flickt seinen Schuh und schmiert seinen Schuh,
kommt die alte Katz' dazu,
frißt die Schmer und frißt die Schuh,
frißt die Schuh und frißt die Schmer,
frißt mir alle Teller leer.

Sie streicheln kreuzweise über die innere Hand des Kindes und kitzeln
sie dann.

9.

Ich erzähle dir ein Märchen
von Dippel-Dappel-Därchen,
von der Dippel-Dappel Maus,
blas der Katz das Feuer aus.

Sie krabbeln in den Handflächen des Kindes. Sie und Ihr Kind blasen
sich zum Schluß gegenseitig kräftig ins Gesicht.

10.

Vöglein zwitschert piep piep piep,
hat das Kindchen lieb lieb lieb.
Pick pick pick!

Sie »picken« mit dem gekrümmten Zeigefinger an die Wangen Ihres Kindes.

11.

Da hast 'nen Taler,
geh auf den Markt,
kauf dir 'ne Kuh,
Kälbchen dazu.
Das Kälbchen hat'n Schwänzchen –
didel didel dänzchen.

Diesen Vers kennen Sie bestimmt noch aus Ihrer Kinderzeit. Man
patscht erst ins Händchen und kitzelt dann darin.

12.

Kinne Kinne Wippchen
Rot Lippchen
Nuppelnäschen
Augenbräunchen
Zupp Zupp Härchen.

Sie tippen das Kind leicht und schnell an das Kinn, die Lippen, die Nase. Dann zupfen Sie an den Augenbrauen und an den Haaren.

13.

Mein Vater kauft sich ein Haus,
an dem Haus war auch ein Garten,
in dem Garten war auch ein Baum,
auf dem Baum war auch ein Nest,
in dem Nest war auch ein Ei,
in dem Ei da war ein Dotter,
in dem Dotter war ein…Hase,
und der beißt dich in die Nase.

Im Takt tippen Sie mit dem Zeigefinger auf die Nase Ihres Kindes. Die letzte Zeile sprechen Sie sehr schnell und zupfen dabei an den Ohren oder an der Nase.

14.

Das ist der Daumen,
der schüttelt die Pflaumen,
der hebt sie auf,
der trägt sie nach Haus,
und der Kleine ißt sie alle auf.

15.

Der ist ins Wasser gefallen,
der hat ihn herausgezogen,
der hat ihn ins Bett gelegt,
der hat ihn zugedeckt,
und der Kleine da hat ihn wieder aufgeweckt.

Sie nehmen nacheinander die Finger des Kindes in die Hand und bewegen sie hin und her bei der dazugehörigen Zeile.

16.

Der Daumen sagt: 1, 2, 3, 4, 5, ich mach mich auf die Strümpf.
Der Zeigefinger: 1, 2, 3 und 4, komm, ich geh mit dir.
Der Mittelfinger: 1 und 2 und 3, da bin ich auch dabei.
Der Ringfinger: 1 und 1 = 2, jetzt reisen wir, juhei!
Der kleine Finger: 1 ist immer 1, ich bitt ums Reis'geld,
sonst hab ich keins.

17.

In unserm Häuschen
sind schrecklich viel Mäuschen.
Sie trippeln und trappeln,
sie zippeln und zappeln,
sie stehlen und naschen,
und will man sie haschen –
husch, sind sie weg!

Dabei laufen die Finger erst wie Mäuschen auf dem Tisch hin und her und verschwinden dann hinter dem Rücken.

18.

Sie können auch eine Hand so schließen, daß Daumen und Zeigefinger die Öffnung eines Mauselochs darstellen. Der Zeigefinger der anderen Hand wird dann als ein Mäuschen hindurchgeschoben. Es schaut neckend hervor und zieht sich zurück, sobald das Kind dieses Mäuschen fangen will. Dann laufen Zeigefinger und Mittelfinger als Maus über die Tischplatte auf das Kind zu, während Sie sprechen:

„Nun kommt die Maus,
nun kommt die Maus
und krabbelt an deinem Rückle nauf!"

19.

Alle meine Fingerlein
sollen heute Tierlein sein:
Dieser Daumen ist das Schwein,
dick und fett und ganz allein.
Zeigefinger ist das stolze Pferd,
von dem Reitersmann geehrt.
Mittelfinger ist die braune Kuh,
die ruft immer »Muh, muh, muh«.
Ringfinger ist der Ziegenbock
mit dem langen Zottelrock.
Und das kleine Fingerlein
soll einmal mein Schäfchen sein.

20.

Fünf Männlein sind in den Wald gegangen,
wollten einen Hasen fangen.
Der erste – dick wie ein Faß –
brummt: „Wo ist der Has!"
Der zweite ruft: „Vor deiner Nas!"
Der dritte, der lange,
der wird drauf so bange.
Er fängt an zu weinen:
»Ich sehe noch keinen!«
Der vierte sagt: »Das ist mir zu dumm,
ich kehr wieder um!«
Der Kleinste aber, der hat gelacht
und hat den Hasen nach Hause gebracht!

21.

Das ist der Va-ter lieb und gut, das ist die Mut-ter
mit dem Fe-der-hut, das ist der Bru-der stark und
groß, das ist die Schwe-ster mit dem Püpp-chen
auf dem Schoß, das ist das jüng-ste Kin-de-lein,
und das soll die gan-ze Fa-mi-lie sein.

Hier zeigen Sie einen Finger nach dem andern vor und drehen zum
Schluß die ganze Hand fröhlich hin und her.

22.

Wir können auch einmal die Finger in umgekehrter Reihenfolge vorzei-
gen, indem wir mit dem kleinen Finger beginnen:

Wovon ist mein Däumchen so dick?
Der ist einmal in den Wald gegangen,
der hat dort einen Hasen gefangen,
der trug ihn heim mit vieler Müh,
der hat ihn gebraten bis morgen früh,
und dieses Däumchen dick und klein,
das aß das ganze Häschen allein.
Davon ist mein Däumchen so dick!

23.

Male, male Grützchen,
schütt mir was ins Bückschen,
gib dem was,
gib dem was,
gib dem was,
gib dem was,
aber dem reißen wir den Kopf ab.

In der Handfläche des Kindes rühren Sie mit dem Zeigefinger, berühren
dann die vier Fingerspitzen und zupfen dann den kleinen Finger.

24.

Zehn kleine Zappelmänner
zappeln hin und her,
zehn kleine Zappelmänner
finden's gar nicht schwer.

Zehn kleine Zappelmänner
zappeln auf und nieder,
zehn kleine Zappelmänner
tun das immer wieder.

Zehn kleine Zappelmänner
zappeln ringsherum,
zehn kleinen Zappelmännern
scheint das gar nicht dumm.
Zehn kleine Zappelmänner
spielen gern Versteck,
zehn kleine Zappelmänner
sind auf einmal weg.

Zehn kleine Zappelmänner
zappeln auf und nieder.
Zehn kleine Zappelmänner
tun das immer wieder.

Zehn kleine Zappelmänner
kriechen ins Versteck.
Zehn kleine Zappelmänner
sind auf einmal weg.

Nun spielen alle zehn Finger mit. Dabei bewegen Sie die Arme erst hin und her, dann auf und ab, dann drehen Sie die Unterarme umeinander und verstecken am Ende die Hände hinter dem Rücken.

25.

Pferdchen, Pferdchen, hopp, hopp, hopp,
laufen alle im Galopp,
laufen in den Stall hinein,
denn es wird bald finster sein.

Die Finger laufen schnell hin und her.

26.

Lustig im klaren Bächlein
spielen die kleinen Fischlein:
Sie schwimmen darinnen immer herum.
Bald sind sie grad, und bald sind sie krumm.

Die Finger ahmen das Schwimmen der Fische nach und werden bei der letzten Zeile zuerst gestreckt und dann gekrümmt.

27.

Alle meine Täubchen
sitzen auf dem Dach:
Klipp, klapp, klipp, klapp!
Fliegen übers Dach.

Mit den Händen ein Dach bilden, klatschen. Mit den ausgebreiteten Armen flattern.

28.

Geht das Hündchen Wau – wau
spazieren mit der Frau;
läuft hin und läuft her
die Kreuz und die Quer.

Rechter Unterarm aufrecht ist die Frau. Faust ist Kopf. Sie geht mit dem Ellenbogen auf der Tischkante spazieren. Das Hündlein, die linke Hand, läuft mit den 4 Fingern hinten nach oder voraus.

29.

Läuft die Fliege Brumm – Brumm
auf der Nase herum,
krabbelt hin und krabbelt her,
ei, das freut sie gar so sehr.

Der Zeigefinger des Kindes ist die Brummfliege, die leise auf Ihrem Gesicht hin- und herspaziert.

30.

Ei, Fliege, fliege fort
an einen andern Ort
und fliege summ, summ,
in der Stube herum!

Ihre Hand hascht nach der Fliege, die sie nicht erwischt. Die Fliege summt in der Luft herum.

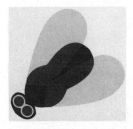

31.

Und die Fliege Brumm – Brumm
macht wieder: Summ, summ!
Und setzt sich auf'n Tisch. – – –
»Ei, hab ich dich nun erwischt!«

Sie fahren langsam mit der hohlgehaltenen Hand auf die Fliege zu und erhaschen schnell die Hand des Kindes. Das Kind oder Sie können auch das summende Geräusch der Fliege beim Spiel nachahmen.

32.

Es tröpfelt, es tröpfelt,
es regnet, es regnet,
es schüttet, es schüttet,
es hagelt, es hagelt,
es donnert, es donnert,
es blitzt, es schlägt ein!

Mit den Fingern leicht auf den Tisch klopfen, stärker, noch stärker, mit den Fäusten ganz stark!

33.

Mein Häuschen ist nicht ganz gerade, ist das aber schade!

Mein Häuschen ist ein bißchen krumm,
ist das aber dumm!

Bläst der böse Wind hinein,
hu, hu, hu, bautz!
Fällt mein ganzes Häuschen ein.

Wenn das Kind tüchtig pustet, kann sogar ein ganzes Häuschen einfallen. Sie bauen es, indem Sie wieder die Ellenbogen aufstützen. Die Hände, gegeneinander geneigt, bilden das Dach.

34.

Steigt ein Büblein auf den Baum,
steigt so hoch, man sieht es kaum,
steigt von Ast zu Ästchen,
guckt ins Vogelnestchen.
Ei, da lacht es,
ei, da kracht es,
plumps – da liegt es unten!

Der linke Unterarm ist der Baum, die Finger sind die Zweige, das Vogelnest ist zwischen Daumen und Zeigefinger. Die andere Hand ist das Büblein, klettert am Arm hinauf, springt von Finger zu Finger, ins Nest und fällt herunter.

35.

Heile, heile Segen,
sieben Tage Regen,
sieben Tage Schnee,
da tut dir nichts mehr weh.
Heile, heile Segen,
es wird sich alles legen,
heile, heile Mäusedreck,
morgen früh ist alles weg.

Wenn Ihr Kind sich einmal weh getan hat, läßt es sich mit diesen Versen gut trösten. Mit der flachen Hand streicht die Mutter dabei im Takt über die schmerzende Stelle.

36.

Es sitzen zwei Tauben auf einem Dach.
Die eine flog weg,
die andere flog weg.
Die eine kam wieder,
die andere kam wieder,
da saßen sie alle beide wieder.

Sie spielen es mit Ihren Händen erst einmal vor. Die beiden Zeigefinger sind die Tauben, alle anderen Finger sind zur Faust geschlossen. Sie wackeln mit den beiden Zeigefingern hin und her. Dann knicken Sie den ersten weg, dann den zweiten. Dann kommt die Taube wieder, und auch die andere. Zum Schluß wackeln Sie mit beiden Zeigefingern hin und her.
Jetzt darf Ihr Kind es einmal selbst versuchen. Am Anfang nehmen Sie noch seine Finger, biegen sie nach innen, strecken sie aus und wackeln mit ihnen hin und her. Später kann Ihr Kind es schon selbst.

37.

Wir öffnen jetzt das Taubenhaus,
die Täubchen, sie fliegen so froh hinaus.
Sie fliegen über das weite Feld,
dort wo es ihnen so wohl gefällt.
Und kehren sie heim zur guten Ruh,
dann schließen wir wieder das Taubenhaus zu.
Gruh, gruh, gruh, gruh.

Man verschränkt erst die Arme über der Brust und breitet sie dann aus. Die Hände flattern fröhlich herum. Dann kreuzt man wieder die Arme, und alle machen »gruh, gruh«.

38.

Im hohen grünen Grase,
da sitzt ein Osterhase.
Er sieht sich um nach Hecken,
die Eier zu verstecken.
Ein Nestchen er bald findt,
von einem lieben Kind.
Er legt hinein viel Eier
zur frohen Osterfeier.

Alle Finger etwas abspreizen und als Gras hochstrecken. Die rechte Hand ist der Hase. Zeige- und Mittelfinger sind die Ohren und werden hochgestreckt. Die anderen drei Finger berühren sich. Die rechte Hand nach rechts und links drehen. Die linke Hand bildet mit leicht nach oben gekrümmten Fingern das Nest. Die rechte Hand tupft mehrmals in die linke.

39.

Klein Häschen wollt spazieren gehn, spazieren ganz allein,
da hat's das Bächlein nicht gesehn, und plumps! fiel es hinein.

Klein Häschen wollt spazieren gehn, spazieren ganz allein,
da hat's das Bächlein nicht gesehn, und plumps! fiel es hinein.

Ihre Hand kann auch ein Häschen sein. Recken Sie Zeige- und Mittelfinger als Ohren in die Höhe, und führen Sie Daumen, Ringfinger und kleinen Finger zusammen. Schon kann das Häschen über den Tisch hüpfen. Es rümpft die Nase, wenn Sie Daumen, Ring- und kleinen Finger etwas öffnen und schließen.

40.

Wie das Fähnchen auf dem Turm
sich kann drehn bei Wind und Sturm,
so muß sich mein Händchen drehn,
daß es eine Lust ist, es anzuseh'n.

Dieses bekannte Fingerspiel von Friedrich Fröbel ist eines der schönsten Spiele für Kleinstkinder. Eine erhobene senkrecht abgewinkelte Hand ist das Fähnchen, der emporgestreckte Daumen ist die Verlängerung der Fahnenstange. Sie drehen Ihre Hand vor den Augen des Kindes hin und her. Später versuchen Sie die Hand Ihres Kindes zu drehen.

41.

Himpelchen und Pimpelchen, die stiegen auf einen Berg;
Himpelchen war ein Heinzelmann, und Pimpelchen war ein Zwerg.
Sie blieben lange dort oben sitzen und wackelten mit den Zipfelmützen.
Doch nach 75 Wochen sind sie in den Berg gekrochen.
Schlafen dort in guter Ruh', seid ganz still und hört fein zu:
ch, ch, ch, ch, ch – Kikeriki!

Himpelchen und Pimpelchen sind die beiden Daumen. Bei »wackelten« wackeln die oberen Glieder der beiden Daumen. Dann »kriechen« die Daumen in die Fäuste. ». . . . seid ganz still . . .« Finger auf den Mund legen, leise sprechen. Schnarchen. Jetzt wecken wir sie auf »Kikeriki!«

42.

10 kleine Negerlein, die krochen in die Scheun.
Das eine ist nicht wiedergekommen, da waren's nur noch 9.

9 kleine Negerlein, die gingen auf die Jagd.
Das eine ist verlorengegangen, da waren's nur noch 8.

8 kleine Negerlein, die gingen in die Rüben.
Das eine ist drin steckengeblieben, da waren's nur noch 7.

7 kleine Negerlein, die gingen zu einer Hex.
Die hat das eine fortgehext, da waren's nur noch 6.

6 kleine Negerlein, die gingen ohne Strümpf.
Das eine ist dabei erfroren, da waren's nur noch 5.

5 kleine Negerlein, die tranken sehr viel Bier.
Das eine hat sich totgetrunken, da waren's nur noch 4.

4 kleine Negerlein, die aßen sehr viel Brei.
Das eine hat sich totgegessen, da waren's nur noch 3.

3 kleine Negerlein, die machten viel Geschrei.
Das eine hat sich totgeschrien, da waren's nur noch 2.

2 kleine Negerlein, die gingen bis nach Mainz.
Das eine ist dort liegengeblieben, da war es nur noch 1.

1 kleines Negerlein, das fuhr in einer Kutsch.
Da ist es unten durchgerutscht, da war auch das noch futsch.

Die Zahl der Finger verdeutlicht die Anzahl der Neger. Im Takt wird mit den Fingern auf den Tisch geklopft. Mit jedem »Negerlein« verschwindet auch ein Finger.

4. Bewegungsspiele

Solange ein Baby im Mutterleib ist, hat es genügend Bewegungsfreiheit, es dreht und wendet sich und strampelt mit Beinen und Armen. Sobald es aber geboren ist, wird es oft stramm in Windeln und »Strampelanzüge« eingepackt und somit um seine Bewegungsfreiheit gebracht. Hinzu kommen nachher Strampelsäcke, Tragetaschen, Kinderwagen, Kinderstühlchen, Autositze und Ställchen, so daß der natürliche Aktionsradius des Kindes dadurch gänzlich eingeschränkt wird. So wichtig und unentbehrlich auch einige Dinge sind, so müssen wir uns doch vor Augen halten, daß hierdurch schon in diesem ersten wichtigen Lebensabschnitt die körperliche Entfaltung beeinträchtigt werden kann.

Bei etwas älteren Kleinstkindern ist sogar immer wieder die Aufforderung des Erwachsenen zu hören: »Bleib bitte still sitzen«. Ein Kleinstkind kann dieser Aufforderung noch gar nicht nachkommen, da sein von Natur aus mitgegebener Bewegungstrieb nach Aktiviät verlangt. Auch hier ist wieder festzustellen, daß in keiner anderen Lebensphase dieser Bewegungstrieb so ausgeprägt ist wie im Kleinstkindalter. Diesem Bewegungstrieb nachgehen zu können, ist deshalb auch ein elementares Bedürfnis des kleinen Kindes und sollte von unserer Seite her entsprechend verstanden und gefördert werden.

Ausreichende Bewegung, insbesondere im ersten Lebensjahr, ist einmal für das momentane Wohlbefinden des Kindes notwendig, darüber hinaus werden in diesem frühen Alter die Grundlagen für sein späteres Bewegungsverhalten gelegt. Nachfolgend sind deshalb einige Punkte zusammengefaßt, die die Notwendigkeit von vielfältigen Bewegungsmöglichkeiten unterstreichen.

Durch die regelmäßigen Bewegungsspiele werden die Atmung und der Kreislauf angeregt. Außerdem ist in besonderer Weise der enge, intime Kontakt gegeben, den Kleinstkinder und insbesondere Babys benötigen. Sie brauchen Berührungs- und Hautempfindungen mit der Bezugsperson, wodurch das Gefühl der Geborgenheit verstärkt wird. Des weiteren wird eine entsprechende Körperkontrolle entwickelt, die dem Kind die Möglichkeit bietet, sich besser mit bestimmten Spielmaterialien zu beschäftigen; es wird dadurch geschickter und geübter und vergrößert so seine Unabhängigkeit, seine Eigenständigkeit und beeinflußt somit auch sein Selbstvertrauen positiv.

Es lohnt sich, dem Kleinstkind die Möglichkeit zu schaffen, sich selbst zu bewegen, und mit ihm gemeinsam Bewegungsspiele durchzuführen, die immer wiederholt und auch gesteigert werden können. Eltern werden sehr schnell entdecken, was ihr Kind mag: An seinem Lächeln, an seinem Jauchzen, an seiner Freude an den körperlichen Bewegungen.

Was man unbedingt beachten sollte!
Ehe Eltern nun intensiv mit ihrem Kind Bewegungsspiele durchführen, sollten sie jedoch einige wichtige Punkte beachten:
Eine vorherige Rücksprache mit dem Kinderarzt ist ratsam, um Auskunft darüber zu erhalten, ob es Spiele gibt, die das Kind besser lassen sollte; z. B. sollte man während oder kurz nach Krankheiten vorsichtig sein und das Kind nicht überanstrengen.
Bei den Bewegungsspielen darf das Kind nie überlastet werden. Spielphasen von einigen Minuten befriedigen das Baby oft voll und ganz. Bei älteren Kleinstkindern können diese Spiele schon etwas länger andauern. Eltern bekommen sehr schnell ein Gespür dafür, wann es dem Kind noch Spaß macht. Es darf nie zum Zwang werden. Wenn das Kind nicht mehr mag, abwehrt, sich steif macht, ist das ein Zeichen, dies Spiel zu beenden.
Schon das Baby braucht genügend Platz für seine Bewegungsspiele. Ein günstiger Platz ist die Wickelkommode oder ein normal hoher Tisch mit einer entsprechend weichen Unterlage. Ganz besonders gerne spielen Babys auch mit den Eltern zusammen in ihrem großen Bett. Viele Bewegungsspiele der älteren Kleinstkinder (etwa ab 12 Monate), bedürfen schon eines größeren Bewegungsraumes, hier eignen sich besonders gut ein Teppichboden, Wolldecken oder Matratzen.
Während der Bewegungsspiele sollten Eltern mit ihrem Kind sprechen, es ermuntern und anlachen und ganz mit in sein Spiel vertieft sein.
Auch sollten Eltern – dies gilt insbesondere für das ältere Kleinstkind – mitturnen und sich dabei wie ihr Kind möglichst bequem kleiden. Ihr Vorbild hat dann noch eine größere Wirkung.
Wenn Eltern mit ihrem Kind spielen, müssen die Bewegungen weich und fließend sein, nicht ruckartig und beängstigend, sie müssen rhythmisch und behutsam ablaufen. Man sollte dabei ruhig kräftig zupacken und seine Beine und Arme fest und sicher umfassen, aber niemals auf seine Gelenke drücken.

Kenntnisse über die körperliche Entwicklung des Kindes weisen den Weg
Zu den Voraussetzungen für Bewegungsspiele mit Kleinstkindern gehören aber auch noch das Wissen und Erkennen der für die einzelnen Altersstufen charakteristischen und unbewußten Selbstübungen des Kindes. Die ungestörte Übung und sichere Beherrschung eines Entwicklungsschrittes ermöglicht erst die Erreichung der jeweils folgen-

den Entwicklungsstufe. Kann ein Kleinstkind in einer dieser Stufen seine neuerworbenen körperlichen Kräfte und Funktionen nicht ausreichend einüben, so wird ihm die darauffolgende Phase schwerer fallen und sich zudem verzögern. So übt z. B. ein Kleinstkind, wenn es einmal nach langem Mühen sich zum Stand hochgezogen hat, wippend in seinem Bettchen stehend, die Muskeln und Gelenke seiner Beinchen für die spätere Fortbewegung. Diese Phase ist äußerst wichtig, und das Kind sollte deshalb auch ausreichend Gelegenheit zu solchen Übungen bekommen, da die Ausbildung der Federkraft des Fußes Voraussetzung für die Elastizität im Gang und im Laufen und Springen ist.

Gemeinsame Freude an der Bewegung, aber keine Dressur
Die Spiele, die nun folgen, sollen über die üblichen Übungen zum Babyturnen hinausgehen. Ein entscheidender Punkt ist der, daß die Eltern nicht nur ihr Kind bewegen, sondern daß das Kind auch die Eltern zu gemeinsamen Aktivitäten anregt. Es darf deshalb auch keine Dressur sein, Eltern sollten eher sich bietende Situationen im Laufe des Tages ausnutzen und sich in spielerischer Bewegung mit ihrem Kind üben. Es muß dem Kind eine größtmögliche Bewegungsfreiheit gelassen werden, man muß ihm erlauben, nach seinem Willen zu berühren, zu umfassen, zu ziehen, zu krabbeln, zu laufen oder zu springen. Eltern werden überrascht sein, wie einfallsreich ihr Kind ist. Es erwartet und unterstützt das Spiel, welches von ihnen angeregt wird und dem sie sich dann gemeinsam hingeben. Eltern sollten auch keine Wundertaten von ihrem Kind erwarten, sondern einfach die Zeit nutzen, in der ihr Kind so bewegungsfreudig ist wie nie mehr später, und deshalb die Freude an der gemeinsamen Aktivität genießen.
Die Altersangaben zu den folgenden Spielen sind nur Orientierungshilfen und dürfen nicht als absolute Richtlinien angesehen werden. Es kann sein, daß ein Spiel mit einer Altersangabe von 10 Monaten einem Kind von 12 Monaten noch nicht möglich ist, andererseits aber schon andere Spiele der Altersgruppe 14 Monate durchführbar sind. Durch das stetige Spiel mit ihrem Kind werden die Eltern bald selbst ein Gefühl dafür bekommen, was möglich ist und dem Kind viel Spaß macht.

Bewegungsspiele im Alter von 2 bis 5 Monaten

Bereits das erste halbe Jahr ist für die Entwicklung der Bewegungsfähigkeit von nicht zu unterschätzender Bedeutung. Das Bedürfnis des Kleinstkindes nach Bewegung zeigt sich in unermüdlichem Strampeln. Aus dem zunächst ruckartigen Zappeln wird mehr und mehr ein kontrollierter Bewegungsablauf.
Auch hebt der Säugling in den ersten Lebenswochen, wenn er auf dem Bauch liegt, seinen schweren Kopf hoch und lernt, ihn zu halten. Die

Bauchlage ermöglicht dem Säugling, frühzeitig seine Kopfhaltung und damit sein Gleichgewicht zu üben sowie seine Rückenmuskulatur zu kräftigen. Allmählich stützt er sich auch auf die Unterarme und richtet dadurch seinen Brustkorb auf. In der Rückenlage können Arme und Beine besonders gut bewegt werden, so daß ein intensives Spiel mit Händen und Fingern, Füßen und Zehen möglich ist.

Immer mehr nimmt der Säugling so seine Umwelt wahr. Das Baby kann Gegenstände besser mit den Augen fixieren und schaut seine Bezugspersonen interessiert an. Es versucht, ihm dargebotene Spielmaterialien zu greifen und auch schon für kurze Zeit festzuhalten.

Das Baby freut sich ganz besonders über Bewegungsspiele, die mit ihm gemacht werden und die leicht in den Tagesablauf einzubeziehen sind. Insbesondere beim Wickeln vor den Mahlzeiten bietet sich die Gelegenheit für verschiedene Bewegungsspiele, obwohl eine derartige Zuwendung nicht auf bestimmte Gelegenheiten beschränkt sein sollte.

Armkreuzen (etwa ab 2 Monate)

Ihr Baby liegt auf dem Rücken. Sie strecken seine Arme zur Seite, legen Ihre Daumen in seine Hände und umfassen mit den anderen Fingern das Handgelenk und den Unterarm. Dann die Arme über der Brust kreuzen und darauf achten, daß das Baby ausatmet. Zum Einatmen werden die Ärmchen wieder zur Seite gestreckt. Der Atemrhythmus bestimmt das Tempo des Spiels.

Boxen (etwa ab 2 Monate)

Ihr Baby liegt auf dem Rücken. Sie legen Ihre Daumen in die Babyhändchen und umfassen mit den übrigen Fingern behutsam das Handgelenk und den Unterarm. Nun strecken und beugen Sie die Ärmchen zunächst gleichzeitig, später dann wechselseitig.

Armkreisen (etwa ab 3 Monate)

Ihr Baby liegt auf dem Rücken. Sie strecken wieder seine Arme zur Seite, legen Ihre Daumen in seine Hände und umfassen mit den anderen Fingern das Handgelenk und den Unterarm. Der Handgriff ist sehr locker. Die gestreckten Arme werden nun in einer großen Kreisbewegung nach oben, seitlich am Kopf vorbei, nach unten und dicht am Körper vorbei, wieder nach oben bewegt. – Die Bewegung nicht ruckartig, sondern fließend ausführen. Nicht vergessen, die Richtung zu wechseln.

Ärmchenheben (etwa ab 3 Monate)

Ihr Baby liegt auf dem Bauch. Sie legen Ihren Zeigefinger in die Babyhändchen und umfassen mit den übrigen Fingern behutsam das Handgelenk und den Unterarm. Dann sanft und behutsam die ausgebreiteten Arme Ihres Babys etwa handbreit abheben und wieder senken.

Beinchenstrecken (etwa ab 3 Monate)
Ihr Baby liegt auf dem Rücken. Sie umfassen dabei beide Unterschenkel. Beide Beine beugen und strecken Sie nun gleichzeitig. Die Streckung vorsichtig durchführen. Zunächst ist eine völlige Streckung nicht möglich, die Beinmuskulatur ist noch auf die Hockstellung im Mutterleib ausgerichtet. Ihrem Kind wird das bald so viel Spaß machen, daß es versucht, diese Bewegung allein auszuführen.

Radfahren (etwa ab 3 Monate)
Ihr Baby liegt auf dem Rücken. Sie umgreifen locker beide Unterschenkel und führen Strampelbewegungen wie beim Radfahren aus. Die Beine bleiben dabei immer in der Luft. Mit den Bewegungen ganz langsam beginnen.

Aufziehen (etwa ab 3 bis 4 Monate)
Ihr Baby liegt auf dem Rücken. Sie legen wieder Ihre Daumen in seine Hände und umfassen mit den anderen Fingern das Handgelenk und den Unterarm. Nun ziehen Sie sanft den Oberkörper des Kindes von der Unterlage hoch und achten darauf, daß der Kopf nicht im Nacken hängen bleibt, sondern getragen wird. Es soll dabei nicht zum Sitzen kommen, dazu ist der Rücken noch zu schwach. Ihr Kind muß den Kopf lediglich von der Unterlage abheben (ca. 10 cm) und ihn 2 bis 3 Sekunden halten. Lassen Sie es dann langsam wieder zurückgleiten. Ermuntern Sie es freundlich dazu.

Aufbäumen (etwa ab 4 Monate)
Ihr Kind liegt auf dem Bauch, die Arme liegen leicht angewinkelt neben dem Kopf. Die Ellenbogen von unten anfassen und ca. 10 cm von der Unterlage behutsam abheben. Nach einiger Übung wird Ihr Kind in der Lage sein, Kopf und Oberkörper einige Sekunden aufrecht zu halten. Gehen Sie bei diesem Spiel sehr behutsam vor und wiederholen es nicht allzu oft. Es kostet das kleine Kind sehr viel Kraft.

Seitwärtsdrehen (etwa ab 4 Monate)
Ihr Kind liegt auf dem Rücken. Sie beugen eines seiner Beine sanft an, das andere halten Sie locker gestreckt. Das angebeugte Bein legen Sie nun langsam über das gestreckte Bein. Ihr Kind wird sich dabei auf die Seite drehen. Nun drehen Sie das Kind an dem obenliegenden und noch immer gebeugten Bein in die Ausgangslage zurück, wechseln die Beine und probieren das gleiche zur anderen Seite.

Schaukeln (etwa ab 5 Monate)
Ihr Kind liegt auf dem Rücken. Sie legen Ihre Daumen in die Hände Ihres Kindes und umfassen mit den übrigen Fingern behutsam das Handge-

lenk und den Unterarm. Nun ziehen Sie sanft den Oberkörper des Kindes von der Unterlage hoch, bis in die Sitzhaltung. Anschließend lassen Sie es langsam wieder zurückgleiten, um es sofort wieder aufzuziehen. Es ist einfach eine Schaukelbewegung: aufsetzen und zurücklegen. Wenn der Spaß ein paarmal wiederholt wird, findet das Kind bestimmt Gefallen daran.

Klettern (etwa ab 5 Monate)
Halten Sie Ihr Kind unter den Armen am Oberkörper fest und lassen sich gegen die Oberschenkel treten. Wippen Sie ein wenig dabei und singen Sie – Ihrem Kind macht dieses Spiel so sichtlich Freude.

Fußgreifen (etwa ab 5 Monate)
Ihr Kind liegt auf dem Rücken. Sie heben seine beiden Füße gleichzeitig an und bringen sie in die Nähe seiner Hände, so daß es danach greifen kann. Bald steckt Ihr Kind von selbst die Füße in den Mund.

Bewegungsspiele im Alter von 6 bis 11 Monaten

Mit der Zeit sucht das Kleinstkind immer mehr Erfahrungen aus seiner Umwelt. Seine körperlichen Fähigkeiten ermöglichen ihm, diesen Wünschen entgegenzukommen. Es ist so an seiner Umgebung interessiert, daß es oft mit aller Energie versucht, sich durch Wälzen und Robben fortzubewegen. Aus der Bauchlage stützt es sich mit geöffneten Händen auf die gestreckten Arme und betrachtet erstaunt seine Umgebung.
Diesem wachsenden Bewegungsverhalten des Kindes müssen wir Rechnung tragen und ihm entsprechende Anregungen anbieten oder aber ihm die Möglichkeit zur Eigenaktivität geben. Ein Kinderbett ist deshalb als Spielplatz für diese Entwicklungsphase denkbar ungeeignet. Auch ein Laufstall hemmt den Bewegungsdrang des Kindes. Es möchte robbend und krabbelnd seine Umgebung erkunden.
Das Krabbeln ist für den Säugling eine komplizierte und anstrengende Fortbewegungsart. Langsam erhebt er sich zum Vierfüßlerstand und übt durch Vor- und Rückschaukeln sein Gleichgewicht. Vorsichtig versucht er, eine Hand vorzusetzen und das Knie nachzustellen. Es kann auch sein, daß dabei zu Anfang noch die Beine fast unbeteiligt sind, sie unterstützen jedoch wenig später das Krabbeln.
Es macht ihm in diesem Entwicklungsstadium die größte Freude, auf Gegenstände zuzukrabbeln und sich an ihnen hochzuziehen.

Armheben in Bauchlage (etwa ab 6 Monate)
Für dieses Spiel muß Ohr Kind schon etwas Gleichgewichtsgefühl haben. Sie legen Ihr Kind auf den Bauch und locken es mit einem interes-

santen Spielgegenstand. Dabei muß es sich mit einem Arm abstützen, um greifen zu können. Überlassen Sie ihm dann diesen Gegenstand zum Spielen.

Auf dem Bauch rollen (etwa ab 6 Monate)
Blasen Sie eine möglichst große Rolle (Durchmesser 25 bis 40 cm, vertrieben u. a. durch die Firma Babbelplast, Krefeld) prall auf, und legen Sie das Kind mit dem Bauch darauf. Rollen Sie es zuerst, behutsam an beiden Oberschenkeln festhaltend, hin und her, und lassen Sie es dann nach vorne kippen, damit es den Kopf heben und sich mit den Händen abstützen kann.

Gleichgewichtsverlagerung (etwa ab 6 Monate)
Sie richten das Kind auf und setzen es so an den Rand des Wickeltisches, daß seine Unterschenkel locker über den Tischrand hängen. Halten Sie es aber immer sicher fest. Aus dem Sitz neigen Sie es nach rechts. Bei einer normalen Gleichgewichtsreaktion bewegen sich der Kopf und der Schultergürtel zur linken Seite. Anschließend bewegen Sie den Oberkörper nach links, und die Kopf- und Schultergürtelreaktion erfolgt zur anderen Seite.

Rumpfübungen (etwa ab 7 Monate)
Ihr Kind liegt auf dem Bauch, die Arme sind nach vorne gestreckt. Aus dieser Lage heben Sie nun Ihr Kind an den Unterschenkeln hoch, so daß es lediglich noch mit seinem Oberkörper und den Armen die Unterlage berührt. Verweilen Sie einen kurzen Moment in dieser Stellung und legen es dann behutsam in die Ausgangslage zurück.

Beinhang (etwa ab 8 Monate)
Ihr Kind liegt auf einer weichen Unterlage, Sie fassen es oberhalb der Fußgelenke an den Beinen und ziehen es langsam hoch. Beginnen Sie vorsichtig: Zuerst nur so hoch heben, daß das Kind noch mit der Unterlage Kontakt hat. Bald aber können Sie Ihr Kind sanft frei pendeln lassen, jedoch nur wenige Sekunden. Hebt es den Kopf weit in den Nacken, so rollen Sie es vorsichtig über den Bauch ab, ansonsten über den Hinterkopf und den Rücken.

Schubkarre (etwa ab 8 Monate)
Ihr Kind liegt oder kniet auf dem Boden. Sie umfassen jetzt die Oberschenkel von unten, so daß die Beine vom Boden abheben. Es wird bestimmt auf den Händen laufen, wenn etwas entfernt im Blickfeld ein interessanter Spielgegenstand liegt. Später, wenn Ihr Kind dieses Spiel kennt, braucht es keinen Anreiz mehr durch ein Spielmaterial. Achten Sie aber darauf, wie lange die Kraft Ihres Kindes reicht.

Klettern (etwa ab 10 Monate)

Wenn Ihr Kind bereits krabbeln kann, legen Sie sich selbst als »Hindernis« auf den Boden. Ihr Kind soll über Sie hinwegturnen. Bauen Sie z. B. aus Ihren Beinen Hindernisse und Tunnel, über die Ihr Kind klettern oder unter denen es durchschlüpfen kann. Durch den engen Körperkontakt mit Ihnen wird Ihr Kind ständig für seine Anstrengungen belohnt und neu angeregt.

Fliegen (etwa ab 10 Monate)

Sie liegen auf dem Boden und Ihr Kind in Bauchlage obenauf. Nun umfassen Sie Ihr Kind seitlich am Brustkorb, um es hochzuheben und ein wenig in der Luft schweben zu lassen. Ihr Kind wird dabei die Beine und den Kopf hochstrecken und die Arme zum Ausbalancieren benutzen.

Stehaufmännchen (etwa ab 10 Monate)

Ihr Kind sitzt auf dem Boden, Sie knien vor ihm. Mit der einen Hand umfassen Sie die Füßchen, mit der anderen halten Sie beide Hände und ziehen Ihr Kind ein wenig schräg nach oben, so daß es durch Hochstemmen – die Beine müssen dabei gerade bleiben – zum Stand kommt.

Rudern (etwa ab 10 Monate)

Sie sitzen im Grätschsitz auf dem Boden. Ihr Kind sitzt zwischen Ihren Beinen. Beide umfassen sie einen waagerecht gehaltenen Stab (Besenstiel), drücken ihn weit vor und ziehen ihn zurück. Wenn Ihr Kind das Spiel gut kennt, erschweren Sie das Drücken und Ranziehen ein wenig. Durch »Anfeuerungsrufe« wie »hau-ruck« betonen Sie den gleichmäßigen Rhythmus und spornen das Kind an.

Klimmzug (etwa ab 10 Monate)

Ihr Kind liegt auf dem Rücken zwischen Ihren gegrätschten Beinen. Ein Kissen unter seinem Köpfchen sorgt für eine weiche Unterlage. Als Reckstange dient wieder der Besenstiel, an dem sich Ihr Kind hochziehen soll. Indem Sie seine Hände umfassen, sichern Sie seinen Griff und ziehen dann den Stab langsam hoch, bis Ihr Kind die Sitzstellung erreicht hat. Nach einiger Zeit wird Ihr Kind in der Lage sein, sich selbständig hochzuziehen.

Bewegungsspiele im Alter von 12 bis 17 Monaten

Kann das Kind einmal stehen, übt es sein Gleichgewicht, indem es sich festhält und sich von einem Bein auf das andere stellt. Je sicherer es hierbei wird, um so häufiger hält es sich nur noch mit einer Hand fest und läuft noch sehr unbeholfen an Tischen oder Schränken entlang.

Sein Gang wird schnell immer sicherer, und es läuft tapsig und breitbeinig, wobei es anfänglich noch oft auf den Po fällt. In diesem Stadium der Entwicklung ist es notwendig, dem Kind neue Anregungen sowie genügend Bewegungsraum zum Ausprobieren zu geben. Darüber hinaus sollten die Eltern darauf achten, daß ihr Kind die Möglichkeit hat, sich in vielfältiger Weise und in jeweils unterschiedlichen Situationen zu bewegen und zu spielen.

Die nachfolgenden Bewegungsspiele erfüllen ihren Zweck auch erst dann, wenn Eltern ihrem Kind möglichst vielseitige Lernsituationen schaffen und zum richtigen Zeitpunkt ihre Teilnahme und Unterstützung anbieten.

Fangen (etwa ab 12 Monate)
Wenn Ihr Kind Ihnen nachkrabbelt oder schon nachgeht, weichen Sie ihm aus. Spielen Sie Fangen um einen Tisch oder Sessel. Nach kurzer Zeit lassen Sie sich jedoch wirklich fangen – und beim nächsten Mal geht es in der entgegengesetzten Richtung weiter. Bei diesem Spiel wird der ganze Körper des Kindes angeregt und angestrengt, was ihm eine große Freude bedeutet.

Ballspiele (etwa ab 12 Monate)
Ihr Kind kniet in Krabbelstellung auf dem Boden und bekommt einen Ball zugerollt. Der Ball kann klein oder groß, glatt oder stumpf, weich oder fest, bunt oder einfarbig sein. Das Spielen mit verschiedenartigen Bällen ermöglicht dem Kind eine vielseitige Materialerfahrung. Zunächst wird Ihr Kind den Ball sicher mit der Hand anstoßen, hinterherkrabbeln, anstoßen usw. Oft spielt das Kind auch mit mehreren Bällen zugleich und möchte alle für sich allein haben. Krabbeln Sie zunächst mit ihm durch die Wohnung und kullern ihm immer wieder den Ball zu. Ist es etwas größer, setzen Sie sich im Grätschsitz gegenüber – zunächst noch beinahe mit Fußberührung – und rollen einen Ball hin und her. Auch findet Ihr Kind es köstlich, einen Ball möglichst hoch in die Luft zu werfen.

Wasserspiele (etwa ab 12 Monate)
Die Wassergewöhnung kann von Geburt an mit Ihnen zusammen in der großen Badewanne geschehen, von daher bezieht sich die Altersangabe lediglich auf bestimmte Bewegungsspiele. Gehen Sie mit Ihrem Kind zusammen in die Badewanne. Lassen Sie es mit Händen und Füßen planschen, einen Tischtennisball über die Wasserfläche pusten, mit dem Mund ins Wasser tauchen und blubbern, mit Schwimmtieren spielen, oder lassen Sie sich zunächst einen Becher mit Wasser über den Kopf gießen. Für die meisten Kleinstkinder ist Wasser eine herrliche Sache, die sie richtig genießen und auf die Sie unbedingt eingehen sollten.

Schaukeln und drehen (etwa ab 15 Monate), Abb. 2
Beim Schaukeln kann es Ihrem Kind oft gar nicht wild genug zugehen; Angst scheint es noch nicht zu kennen. Fassen Sie Ihr Kind mit den Armen von hinten unter die Achseln. Schwingen Sie es vorsichtig vor und zurück, oder drehen Sie sich langsam um die eigene Achse. Sie werden schnell herausfinden, welches Tempo für Ihr Kind am verträglichsten ist. Sie können es auch direkt oberhalb der Kniekehlen festhalten, während das Kind sich an Ihren Armen festhält und Sie es hin- und herschaukeln. Immer müssen Sie aber auf einen sicheren Griff achten.

Heben und huckepack (etwa ab 15 Monate)
Heben Sie Ihr Kind immer wieder hoch in die Luft, indem Sie es unter beiden Armen greifen. Oder setzen Sie es hinter Ihrem Kopf auf die Schultern, so daß seine Beine links und rechts auf Ihrer Brust herunterhängen. Halten Sie es dabei sehr fest und sicher an seinen Unterarmen (evtl. auch Oberarmen), damit es nicht herunterrutschen kann, wenn es plötzlich zappelt und sich aufbäumt. Gehen Sie nun durch Ihre Wohnung, damit es seine Umgebung einmal aus einer ganz anderen Perspektive zu sehen bekommt. Beginnen Sie sehr behutsam mit dem Spiel, damit sich Ihr Kind nicht ängstigt. Nur so wird es ihm große Freude bereiten.

Hängeschaukel (etwa ab 15 Monate)
Sie stehen seitlich neben Ihrem Kind und legen Ihre Daumen in seine Hände, wobei Sie mit den anderen Fingern das Handgelenk und den Unterarm umfassen. Nun ziehen Sie vorsichtig Ihr Kind ca. 10 cm vom Boden hoch und beginnen leicht zu schaukeln. Bald wird es aus eigener Kraft hängen und schaukeln.

Bewegungsspiele im Alter von 18 bis 36 Monaten

Mit 1 1/2 Jahren ist das Kleinstkind in seinem selbständigen Gehen schon sicherer geworden, so daß es sich nicht mehr festzuhalten braucht. Es fällt auch nicht mehr so häufig hin und kann meistens auf dem Boden liegende Spielmaterialien aus dem Stand aufheben. Immer besser lernt es, sein Gleichgewicht zu halten, so daß auch seine Körperbeherrschung immer sicherer wird.
Aus dem kleinen Tolpatsch entwickelt sich in den nächsten 1 1/2 Jahren ein flinker und unermüdlicher Wirbelwind. Er ist ununterbrochen unterwegs und scheint unter dem Zwang des ruhelosen Umherlaufens zu stehen. Durch diese Aktivität entwickeln sich Kraft, Geschicklichkeit, Mut, Ausdauer und Selbstbewußtsein. So sind für diese Altersgruppe Bewegungsspiele von großem Anreiz, die seinen Nachahmungstrieb, sein Streben nach Raumeroberung und seine Lust am Wagnis und

1

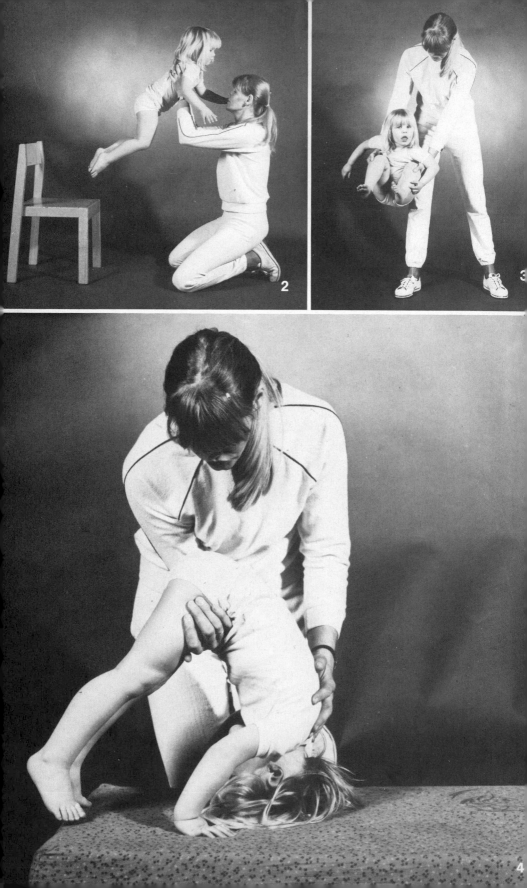

Kunststück ansprechen. Kleinstkinder in diesem Alter wollen hängen, klettern, ziehen, tragen, schleppen und werfen, ihren ganzen Körper einsetzen und ihre Geschicklichkeit erproben. Wir Erwachsenen sollten hierzu ausreichend Gelegenheit geben, ihnen die notwendige Hilfe gewähren, aber auch schon einmal waghalsigere Klettertouren, wachsam beobachtend, zulassen. Die Rolle des Spielpartners ist vornehmlich die des Mit- und Gegenspielers, des Helfers; aber nie des ehrgeizigen Trainers.

Reckturnen (etwa ab 18 Monate), Abb. 1
Wenn Ihr Kind schon etwas älter geworden ist, stellen Sie sich mit gegrätschten Beinen hinter Ihr Kind und halten einen Stab waagerecht so hoch, daß es den Stab gerade noch erreichen kann. Sie müssen bei Ihrem Kind auf einen sicheren Griff achten. Zunächst ziehen Sie Ihr Kind nur bis zum Zehenstand hoch. Spüren Sie nun, daß Ihr Kind den Stab fest im Griff hat und daß seine Kraft ausreicht, dann kann es ruhig ein paar Sekunden in der Luft hängen.

«Kopfhandstand» (etwa ab 18 Monate)
Ihr Kind bückt sich und setzt Hände und Kopf auf den Boden auf. Seine Beine sind gegrätscht, so daß es durch seine Beine durchschauen kann. Besonders interessant wird es für das Kind, wenn Sie die gleiche Stellung einnehmen und sich gegenseitig »Kuckuck« zurufen. Bei zunehmender Standsicherheit kann Ihr Kind die Hände vom Boden abheben und sein Gleichgewicht halten.

Purzelbaum (etwa ab 18 Monate), Abb. 4
Der Purzelbaum ist eine Fortsetzung des Kopfstandes und macht den Kindern außerordentlich viel Spaß. Bei einem 18 Monate alten Kind müssen Sie aber noch kräftig mithelfen, da dieses Spiel sehr hohe Anforderungen an die Beweglichkeit und an das Koordinationsvermögen Ihres Kindes stellt. Sorgen Sie auch dafür, daß bei diesem Spiel eine entsprechend weiche Unterlage zur Verfügung steht. Ein Kleinstkind tut dies besonders gerne im großen Ehebett.

Nachziehen (etwa ab 18 Monate)
Geben Sie Ihrem Kind Spielmaterialien, die es hinter sich herziehen kann. Hier genügt schon eine Fadenrolle, die an einer Schnur befestigt ist und die Ihr Kind vielleicht als seinen Hund oder seine Ente ansieht.

Tragen und Schleppen (etwa ab 18 Monate)
Spielen Sie mit Ihrem Kind Einkaufen. Geben Sie ihm einen kleinen Korb oder eine Tasche, und füllen Sie sie nach und nach mit kleinen Dingen. Dabei wird die Tasche immer schwerer. Das Kind muß dabei

sein Gleichgewicht ständig neu anpassen. Bieten Sie Ihrem Kind auch andere Möglichkeiten, zu schleppen und zu tragen. Solche »Kraftakte« sind in dieser Entwicklungsphase ganz natürlich, und Sie brauchen deshalb auch in der Regel keine Bedenken zu haben, daß sich Ihr Kind dabei überanstrengen könnte.

Luftballons (etwa ab 18 Monate)
Spielen Sie und Ihr Kind zusammen mit Luftballons. Sie verfeinern das Orientierungs- und Steuerungsvermögen, weil sie durch ihren langsamen Flug gut verfolgt und besser beherrscht werden können. Darüber hinaus sind Arme, Kopf, Brust, Beine und Füße für das Spiel zu benutzen. Ganz besonders attraktiv sind für Kleinstkinder supergroße Luftballons (Durchmesser 75 bis 100 cm, Fa. Babbelplast).

Nachahmen (etwa ab 18 Monate)
Viel Abwechslung für Ihr Kind bringt das Nachahmen bestimmter Tiere. Ihrem Kind fällt das besonders leicht, wenn es z. B. einen Hund bei einem Spaziergang sehen und beobachten konnte. Wenn Sie nun dazu auf allen Vieren durch die Wohnung krabbeln und noch »bellen« und »schnuppern«, dann wird es nicht mehr lange dauern und Ihr Kind macht begeistert mit. Weitere Beispiele sind: eine Katze, die langsam schleicht, miaut, sich streckt und leckt; ein Frosch, der in großen Sätzen springt und dann in kauernder Stellung verharrt; usw.

Weitere Bewegungsspiele (etwa ab 18 Monate)
Bei einem Spaziergang oder auch in der Wohnung entfernen Sie sich ein paar Meter von Ihrem Kind und rufen: »Wer kommt in meine Arme?« Es wird freudig auf Sie zu und in Ihre Arme laufen. Sie drehen sich nun etwa zweimal mit Ihrem Kind herum und das Spiel kann erneut beginnen. Über eine große, breite Rolle (Fa. Babbelplast, Krefeld) kann es krabbeln, sie rollen und schieben, ja sogar darauf reiten. Am liebsten tut es dies mit einem Spielpartner. Zeigen Sie Ihrem Kind, wie man sich durch seitliches Rollen fortbewegen kann. Dies können Sie, wenn Sie in Ihrer Wohnung etwas Platz schaffen oder draußen auf einer Wiese spielen. Besonders viel Freude macht es Ihrem Kind, auf eine dicke Schnur zu treten, die Sie hinter sich herziehen und leicht nach links und rechts schwenken.

Hindernisklettern (etwa ab 18 Monate)
Besonders gerne macht sich Ihr Kind auf Klettertouren. Jedes Hindernis scheint ihm dafür da zu sein, um bewältigt zu werden. Ein Stuhl oder Sessel wird von ihm bevorzugt aufgesucht, um an ihm emporzuklimmen. Kraft, Geschicklichkeit, Mut, Ausdauer und Selbstbewußtsein entwickeln sich so durch seine ersten Auseinandersetzungen mit den Hin-

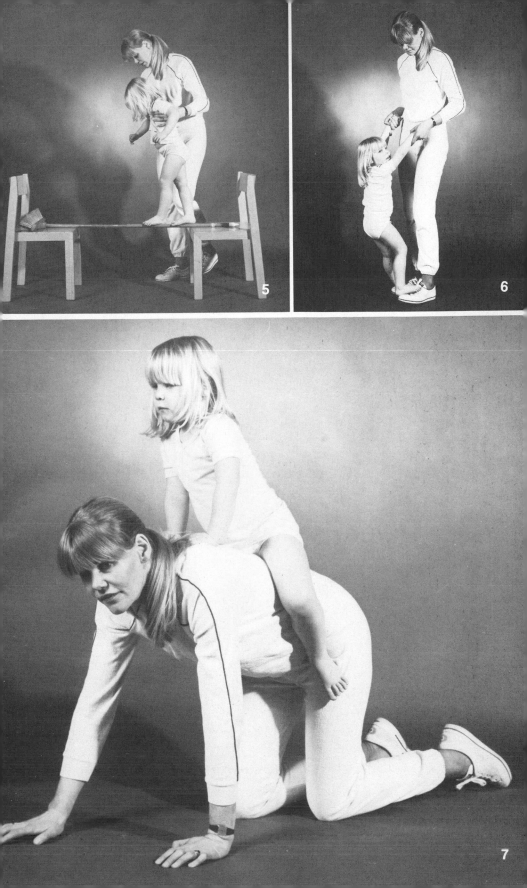

5

6

7

dernissen der Umwelt. Bei derartigen Spielen sollten Sie aber anfangs immer in unmittelbarer Nähe Ihres Kindes stehen, um es, wenn nötig, festhalten zu können.

Springen (etwa ab 19 Monate), Abb. 2
Wenn Ihr Kind nun einen Stuhl oder Sessel erklommen hat, klettert es nicht mehr zurück, sondern es versucht herunterzuspringen. Dieses Herabspringen ist bei Kleinstkindern noch eher ein ungelenkes Herunterplumpsen. Von daher müssen Sie bei den ersten Versuchen auch hier immer noch unterstützend zur Seite stehen und zunächst mit beiden Händen, dann mit einer Hand bei seinen »Mutsprüngen« helfen, ehe es »freihändig« in Ihre Arme springt.

Klettern (etwa ab 24 Monate), Abb. 8
Ganz besonderen Spaß bereitet es Ihrem Kind, wenn es an Ihnen hochklettern darf. Ihr Kind wird dabei zunächst an den Handgelenken festgehalten. Nun klettert es nach Möglichkeit barfuß über die leicht gebeugten Knie bis hinauf zu Ihren Schultern. Oben angelangt, kann es sich hinsetzen oder -stellen, dann klettert es wieder hinab oder wird mit Schwung heruntergehoben.

Fußtreten (etwa ab 24 Monate), Abb. 6
Viel Freude macht es dem Kind, auf Ihren Füßen herumgetragen zu werden und so das Gleichgewicht mitzuerleben.

Reiten (etwa ab 24 Monate), Abb. 7
»Reiten« ist ein ganz besonderes Erlebnis für Ihr Kind. Anfangs sollte immer noch jemand zusätzlich anwesend sein, der Ihr Kind beim »Reiten« am Oberarm festhält. Bei etwas mehr Sicherheit und Routine kann Ihr Kind dies schnell ohne fremde Hilfe. Sind Sie allein, liegen Sie zunächst auf dem Bauch, so daß Ihr Kind auf dem Rücken Platz nehmen kann. Langsam kommen Sie nun hoch in den Kniestand, wobei Sie Becken und Oberkörper gleichzeitig anheben, damit der kleine Reiter nicht herunterfällt. Nun bewegen Sie sich behutsam vorwärts.

Balancieren (etwa ab 24 Monate), Abb. 5
Nicht nur das Klettern macht Ihrem Kind große Freude, sondern es wird sich auch in mancherlei Balanceakten versuchen. Bei allen sich bietenden Gelegenheiten (z. B. Straßenkanten, Mauern, gefällten Bäumen usw.) wird dies ausgiebig erprobt. Zu Hause haben Sie die Möglichkeit, daß Ihr Kind diesem Spiel in ganz besonderer Weise nachkommen kann. Es kann entweder allein über ein auf dem Boden liegendes Seil balancieren oder mit Ihrer Hilfe auf einem Besenstiel von einem Stuhl zum anderen balancieren.

Budenbau (etwa ab 24 Monate)
Das Kriechen durch einen Tunnel oder Verstecken in einer Höhle macht Ihrem Kind Spaß und fördert sein räumliches Vorstellungsvermögen. Eine Bude oder einen Tunnel kann man aus Kisten, Kartons, Stühlen oder Decken selbst bauen.

Lernspiele

Die geistige Entwicklung vollzieht sich, indem das Kind sich mit Dingen aus seiner Umgebung auseinandersetzt. Zu jenen Spielmaterialien, an denen es seine Fähigkeiten erprobt und übt, gehören genauso käufliche Spielzeuge wie Haushaltsartikel und alle Gegenstände (z. B. leere Dosen, Stoffreste, bunte Zeitschriften usw.), die für das Kind ungefährlich sind.

Es widmet sich diesen Spielmaterialien mit ganzer Hingabe und höchster Konzentration. Es möchte sie entdecken, erforschen und ergründen. Dadurch erwirbt es in den ersten Lebensjahren wichtige und grundlegende Erkenntnisse über seine komplizierte Umwelt. Es erfährt, wie es Gegenstände halten und handhaben kann: daß, wenn man mit Bausteinen einen zu hohen Turm baut, dieser umfällt; daß ein Ball hochspringen und wegrollen kann; daß es spritzt, wenn es in eine Pfütze springt; daß Aneinanderschlagen von Gegenständen Lärm verursacht; daß eine Dose klein ist, die andere größer, die kleine in die große Dose paßt. Weitere Erfahrungen erwirbt es über leicht-schwer, oben-unten, hinten-vorne, klein-groß, rund-eckig, rauh-glatt und vieles mehr. Das Kind lernt, wie es selbst Dinge verändern kann, und gewinnt wichtige Erkenntnisse über das sorgfältige Beobachten, In-Erinnerung-Behalten und das Lösen einer Aufgabe. Die Entwicklung der Sprache unterstützt hierbei die Eroberung seiner Umwelt und gibt ihm ein entsprechendes Selbstvertrauen.

Es werden demnach Fähigkeiten und Selbstvertrauen nicht nur im Umgang mit den Menschen erworben, sondern auch im Umgang mit konkreten Materialien und in angemessenen Situationen. Den Eltern fällt nun die Aufgabe zu, ihrem Kind zu gegebener Zeit spielerisch das richtige Angebot zu machen. Wichtig ist hierbei, daß die Spielangebote in allen Bereichen entsprechend der kindlichen Entwicklung erfolgen. Damit Spiele und Spielmaterialien gezielt eingesetzt werden können, ist eine Einteilung in 7 Funktionsbereiche vorgenommen worden. Fingerfertigkeit, Kreativität, Wahrnehmung, Nachahmung, Sprache, Problemlösen und Ursache – Wirkung, Selbstbewußtsein. Jedoch sollte man sich davor hüten, ein vollkommen isoliertes Üben oder Trainieren einzelner Sinnes- oder Bewegungsfunktionen durchzuführen. Denn für das Kind ist jedes Spiel eine Mischung aus Bewegung, Fühlen, Denken, Sprechen, das Kleinstkind spielt und lernt mit dem ganzen Körper. Jedes Einzelspiel trägt aber letztlich dazu bei, daß die angestrebten Ziele, Fähigkeiten und Selbstvertrauen, erreicht werden.

Es ist die Absicht dieses Kapitels, Eltern konkrete und realistische Lernmöglichkeiten für ihr Kind an die Hand zu geben, damit es ihnen leichter fällt, diese angestrebten Ziele zu erreichen. Eltern sollten aber ja keinen Zwang ausüben, sondern sich mit ihrem Kind über seine Erfolge freuen und ständig bereit sein, sich nach dem Kind zu richten. Das Wesentlichste ist, daß Eltern dem Kind viele interessante Möglichkeiten geben, etwas zu lernen, zu erforschen, zu entdecken, mit ihnen etwas gemeinsam zu tun. Wenn es auch bei den nachfolgenden Lernspielen vor allem um das intensive und freie Hantieren mit Knetmasse, Fingerfarben oder anderen Gegenständen geht, so müssen wir aber doch immer wieder hervorheben, wie wichtig die Gegenwart der Eltern und damit ihre Teilnahme und das Gespräch zwischen ihnen und dem Kind sind. Das Kind wird also bei Lernspielen durch zwei Dinge angesprochen: die konkreten Spielmaterialien und einen interessierten Erwachsenen, der dem Kind Spielmaterialien anbietet, Spielsituationen ermöglicht, mit ihm gemeinsam spielt, es aber auch ermutigt, sich allein damit zu beschäftigen.

Das Kind ist den ganzen Tag bereit zu lernen, Eltern sollten sich die Mühe geben und hinsichtlich der Lernbedürfnisse ihres Kindes eine gewisse Empfindsamkeit entwickeln. Das Kind weist schon den Weg. Wenn Eltern z. B. feststellen, daß ihr Kind interessiert und voller Eifer Brotstückchen mit seinen kleinen Fingern vom Tisch aufhebt, sollten Eltern dieses Spiel aufgreifen und noch einige hinzulegen, ja sie sich sogar gegenseitig in den Mund stecken. Oder wenn das Kind mithelfen will, die Waschmaschine auszuräumen, sollte die Mutter sich Zeit nehmen, vielleicht kann ihr Kind verschiedenfarbige Strumpfpaare einander zuordnen. Eltern sollten deshalb immer wieder zusehen, daß die Lernspiele sinnvoll in das Tagesgeschehen eingebettet werden.

Eins sollten sie allerdings immer bedenken: Kein Kind gleicht dem anderen. Man wird zwar immer wieder »Ratgeber« finden, in denen z. B. »typische« zweijährige Kinder beschrieben werden. Eltern werden dann aber auch feststellen, daß vieles mit dem bei ihrem Kind nicht übereinstimmt. Wenn auch Kinder jeden Alters viele Gemeinsamkeiten haben, so ist doch jedes ein Individuum, dessen Entwicklung sich nach eigenen Gesetzen vollzieht. Von daher hängen die Reihenfolge und der Zeitpunkt der nachfolgenden Spiele ausschließlich vom Entwicklungsstand des Kindes ab. Wenn dennoch ungefähre Altersangaben gemacht werden, dann sind dies nur Annäherungsdaten für Spiele, die etwa für dieses Alter bestimmt sind. Eltern sollten sich deshalb keine Sorgen machen, wenn ihr Kind – gemessen an den Altersangaben – noch nicht so weit ist; aber auch nicht denken, ihr Kind sei ein Genie, wenn es entsprechende »altersgemäße« Spiele mit Leichtigkeit ausführt.

Fingerfertigkeit

Während der kleine Säugling in den ersten Wochen seine Händchen noch zu Fäusten geschlossen hat, verliert sich dies im Laufe der ersten drei Monate immer mehr. Zunächst ergreift das Kind aber nur all das, was seine Hand zufällig berührt. Auf die Berührung hin wird dann der Gegenstand fest umklammert und nicht so schnell wieder losgelassen. Etwas später hebt es schon gezielt seine Ärmchen, um einen Gegenstand zu ergreifen und ihn sofort in den Mund zu stecken.

Ebenso wie das Ergreifen und Umklammern von Gegenständen muß das bewußte Loslassen gelernt werden. Dies zeigt sich oft darin, daß ein Kind alles, was es in die Händchen bekommt, wegwirft. Dieses Spiel hat den Zweck, den Gegenstand absichtlich loszulassen. Es bedeutet eine große Leistung für das Kind, wenn es einen ergriffenen Gegenstand bewußt wieder loslassen kann. Greifen, Loslassen und Wiederergreifen sind Bewegungen, die das Kind lange üben muß, bis seine Finger und Händchen dazu geschickt genug sind. Dieser schnelle Wechsel von Muskelanspannung und -entspannung (Festhalten – Loslassen) ist eine wichtige Voraussetzung zu jeder Tätigkeit mit den Händen.

Besonderen Spaß hat das Kind auch an glitzernden Armbändern, Ketten, Broschen und Knöpfen. Wenn es etwas älter ist, kann es diese attraktiven Dinge schon mit Daumen und Zeigefinger erfassen und zu sich heranziehen. Dies bedeutet eine weitere Verfeinerung des Greifens und Loslassens, da das Kind lernt, die Fingerspitzen von Daumen und Zeigefinger ähnlich einer Pinzette zu gebrauchen.

Bieten Sie Ihrem Kind deshalb in den ersten Monaten alle möglichen ungefährlichen Spielgegenstände an, damit es eine reiche Erfahrung macht mit Form und Größe und so seine Fingerfertigkeit entwickeln kann. Es seien nachfolgend beispielhaft einige Spielanregungen aufgezeigt, wodurch die Fingerfertigkeit geübt wird. Auch bei diesen Spielen können sich die Eltern an dem Spiel ihres Kindes beteiligen und darauf achten, daß möglichst viele Spiele sinnvoll in den Tagesablauf eingebettet werden.

Etwa ab 8 Monate
Legen Sie ein erbsengroßes Stückchen Keks oder eine Rosine auf den Tisch. Anfangs kann es derart kleine Dinge noch nicht fassen. Sie können ihm dabei helfen, indem Sie mit Ihrer Hand seinen Daumen und Zeigefinger darauf legen. Ein besonderer Spaß ist es, sie sich gegenseitig in den Mund zu stecken.

Etwa ab 12 bis 14 Monate
Ihr Kind kann vielleicht schon verschieden große Holz- oder Kunststoffringe von einem Stab nehmen; jedoch fällt es ihm sicher schwer, die

Ringe wieder über den Stab zu legen. Lassen Sie es dies in Ruhe probieren, auch wenn es die Ringe noch nicht in der richtigen Reihenfolge anbringt. Es dauert noch einige Zeit, bis es die Größenunterschiede richtig erkennen kann.

Etwa ab 15 bis 17 Monate
Eine Kiste mit vielen kleinen Gegenständen beschäftigt es lange Zeit und hilft, seine Fingerfertigkeit zu entwickeln. Am besten ist es, wenn Sie selbst eine Kiste mit den unterschiedlichsten Spielmaterialien füllen, dann ist der Überraschungsgehalt am größten. Das Spiel mit kleinen Autos, die Ihr Kind auf dem Fußboden hin- und herschieben kann, ist eine gute Übung für das Zusammenarbeiten seiner Beine und Hände. Geben Sie ihm kleine Bausteine, die es aufeinanderstapeln kann. Ebenso eignen sich Joghurtbecher zum Auf- oder Ineinanderstapeln.

Etwa ab 18 Monate
Modellier- und Knetspiele sind ausgezeichnete Fingerübungen; lassen Sie es die Knetmasse rollen, drücken, pressen, Würste formen und was Ihnen und Ihrem Kind sonst noch so einfällt. Lassen Sie es Druckknöpfe und Reißverschlüsse öffnen und schließen. Nach Möglichkeit in das Tagesgeschehen einbeziehen, z. B. beim An- oder Ausziehen des Kindes. Geben Sie Ihrem Kind Dosen, Tuben, Kartons usw. und regen Sie es an, die verschiedenen Arten der Verschlüsse zu öffnen und zu schließen. Lassen Sie es Perlen zu einer Kette auffädeln; geben Sie ihm anfangs große Perlen, später kleinere. Vielleicht ist es auch schon in der Lage, einen Schuhriemen in die vorgesehenen Ösen zu ziehen.

Etwa ab 20 bis 24 Monate
Das Zeichnen mit Kreide oder Bleistift, das Malen mit Wachsmalstift, Pinsel und Wasserfarben oder Fingerfarben machen viel Spaß und sind gute Geschicklichkeitsübungen.

Etwa ab 30 Monate
Zeigen Sie Ihrem Kind, wie man mit einer kleinen Kinderschere umgeht.

Kreativität

Kreatives Spiel ist gekennzeichnet durch seine große Variationsbreite. Deshalb handelt es sich beim kreativen Spiel auch nicht um Spiele im eigentlichen Sinn, bei dem sich das Kind in funktionsgerechter Weise mit dem Spielmaterial auseinandersetzt, sondern bei dem es neue Spielmöglichkeiten an einem vertrauten Spielgegenstand entdeckt. Sowohl für die geistige als auch für die soziale Entwicklung des Kindes ist es wichtig, daß es lernt, immer wieder veränderte Situationen zu bewältigen. Verschiedene Materialien und Gestaltungsmöglichkeiten fordern das Kind zu einer ständig neuen Auseinandersetzung mit seiner Umwelt heraus.

Wenn auch beim eigentlichen kreativen Spiel Phasen des Ausprobierens und Experimentierens vorangehen, so kann doch schon die Beschäftigung des Kleinstkindes als kreativ angesehen werden, wenn es z. B. mit Bausteinen spielt oder mit Farbstiften malt. Selbst das Zerknüllen von Papier kann als erste Erfahrung der Veränderungsmöglichkeit und damit als eine Vorstufe kreativer Tätigkeit angesehen werden. Um die Kreativität beim Kind zu wecken und zu fördern, sind dem Kind Materialien zur Verfügung zu stellen, die seine Phantasie anregen, sein Vorstellungsvermögen erweitern und seinen Mut zum Verändern stärken.

Wenn in diesem Kapitel auch beispielhaft nur Spiele aus dem bildnerisch gestaltenden Bereich aufgeführt sind, muß an dieser Stelle doch ausdrücklich darauf hingewiesen werden, daß auch Sprachspiele, Bewegungsspiele, Lieder usw. verändert und umgestaltet werden dürfen.

Die Aufgabe der Eltern besteht in der Hauptsache darin, daß sie bei ihrem Kind Ideen und Vorstellungen wecken und daß sie ihm hilfreich sind bei der Ausführung seiner Vorstellungen in der konkreten Wirklichkeit. Das bedeutet, daß das kreative Spiel des Kindes kaum Anleitung braucht. Man darf bei kreativem Spiel auch nicht von einem »richtigen« oder »falschen« Resultat sprechen.

Haben Kinder öfter Gelegenheit, auf solche Weise ihrer Phantasie freien Lauf zu lassen, so lernen sie, daß Gegenstände, Probleme, Situationen und Zusammenhänge veränderbar sind. Dies ist ganz besonders wichtig für das spätere Leben, wo notwendig sein wird, Dinge und Situationen zu verändern.

Gestalten mit Bausteinen

Zu den wichtigsten Spielmaterialien für Kleinstkinder gehören Bausteine. Das Kind fängt schon an zu bauen, wenn es – meist zufällig – zwei Bausteine aufeinanderstellt. Gerade dieses erste Probieren und Experimentieren mit Bausteinen sollte von den Eltern nicht durch permanentes Vormachen gesteuert werden. Kinder sollten selbst durch eigenes Tun Erkenntnisse und Erfahrungen sammeln. – Außerdem werden hierbei noch andere wichtige Fähigkeiten und Antriebe angeregt und erweitert: Wahrnehmung, Tasten, Fühlen, Koordination von Auge und Hand sowie Forschungsdrang.

Bausteine aus Holz, die aufeinandergestellt und nicht fest miteinander verbunden werden, sind das erste Material, welches mit seinem Gewicht und seiner guten Haftfähigkeit die besten Bedingungen zum Bauen bietet. Das Würfel-Grundmaß sollte hierbei mindestens 3 bis 4 cm sein, damit die noch ungeübten Hände gut zupacken können und die Bausteine auch besser stehenbleiben.

Oft fühlt sich der Erwachsene berufen, Brücken, Häuser usw. vorzubauen. Hier muß der Erwachsene sehr behutsam vorgehen, sehr schnell wird die Schaffensfreude aus eigenem Willen unterdrückt oder gar erstickt, und das Kind ist nicht mehr in der Lage, aus eigener Phantasie und eigenem Ermessen etwas zu schaffen.

Legen Sie sich z. B. mit Ihrem Kind auf den Boden und spielen mit ihm mit Bausteinen. Geben Sie ihm aber keine Anleitung, spielen Sie zu Anfang eher nebeneinander; Ihr Kind besitzt so die Möglichkeit, auch eigene Bauwerke zu probieren und dabei Ihnen das eine oder andere abzugucken. Es wird hierdurch immer sicherer im Umgang mit den Bausteinen und erfindet immer häufiger eigene Variationen.

Neben den Holzbausteinen eignen sich für Kleinstkinder etwa ab 12 bis 15 Monaten auch Steckbausteine (z. B. Lego-Duplo oder Nopper). Das Kleinstkind entdeckt sehr bald, daß die Steine zusammengesteckt werden können, und beginnt so ein völlig neues Spiel. Mit der Zeit funktioniert das Zusammenbauen immer besser. Es macht nichts, wenn Sie zuerst nicht erkennen können, was das Bauwerk darstellen soll. Am wichtigsten ist, daß Ihr Kind seine eigenen Hände entdeckt, mit Ihnen experimentieren und seine eigenen schöpferischen Vorstellungen umsetzen kann. Indem das Kind die Möglichkeit hat, die einzelnen Bausteine auf die unterschiedlichste Art zusammenzusetzen, werden die Anforderungen an sein Vorstellungsvermögen und seine phantasievollen, schöpferischen Fähigkeiten größer.

Wenn versäumt wurde, das kindliche Spiel oder die Formen des kindlichen Gestaltungswillens in aller Breite und Vielfalt sich entwickeln zu lassen, wird ein wichtiges schöpferisches Element im Keime erstickt.

Bildnerisches Gestalten

Schon im zweiten Lebensjahr beobachtet das Kind mit großem Interesse, wie Sie schreiben. Kann es eines Stiftes oder einer Kreide habhaft werden, wird es auch »schreiben«. Ein erstes Krickelkrackel entsteht. Das Kind führt den Stift mit der Faust auf dem Papier oder der Tafel herum und freut sich über die entstandene Spur.

Das Kind erfaßt allerdings bei seinen ersten Kritzeleien noch keine Zusammenhänge zwischen Stift, Papier und Zeichnung. Spiel und damit Freude bedeutet das Kritzeln erst, wenn es begreift, daß durch die Bewegung ein Ergebnis entsteht.

Das Kind lernt durch das Malen unterschiedlichste Materialien kennen und handhaben. Welche Spuren hinterläßt Kreide, und welche Stifte? Auf einer Tafel läßt sich anders malen als auf Papier.

Jetzt braucht das Kind möglichst unterschiedliche Malutensilien, Farbstifte, Wachsstifte, Fingerfarben und später auch Wasserfarben. Dazu braucht es große Bogen Papier. Besonders gut eignen sich Tapetenreste oder Packpapier als großflächiger Malgrund.

Hüten Sie sich aber auch hier, dem Kind immer etwas vormalen zu wollen oder seine Malereien zu verbessern, damit hemmen Sie die Freude an dieser Betätigung und nehmen ihm den Mut, Eigenes auszudrücken und darzustellen. – Doch noch ein Problem birgt dieser ganze Spaß. Kleinstkinder kümmern sich wenig um Tischdecken oder Teppichfußböden, deshalb sollten Sie unter allen Umständen den Arbeitsplatz so herrichten, daß es sich in größter Freiheit betätigen kann. Als Malkittel genügt meist ein altes Oberhemd vom Vater.

Malen mit Fingerfarben
Das Kleinstkind in der Kritzel- und Schmierperiode tobt in erster Linie seine Bewegungsfreiheit aus und freut sich über seine Experimente, die es mit den unterschiedlichsten Materialien anstellen kann. Ganz besonderen Spaß machen Ihrem Kind die Fingerfarben. Damit Sie dies richtig nachempfinden können, sollten Sie sich selbst auch darin versuchen. Fingerfarbe gibt es in kleinen Plastikbechern zu kaufen. Sie brauchen höchstens sechs Farben. Die leuchtende, halbflüssige Masse kann man nach Herzenslust auf einem entsprechenden Untergrund vermalen oder besser verschmieren. Kinder malen gern auf glatten Oberflächen, da diese sich besonders gut zum Schmieren eignen. Ideal sind hier eine weiße Resopalplatte, ein Plastiktuch oder eine glatte Wandtafel. Ganz besondere Freude bereitet es Ihrem Kind, wenn Sie es vor ein Fenster setzen, damit es die Scheibe bemalen kann, oder auch in die Badewanne, hier kann es mit Vergnügen sich selbst oder die Fliesen bemalen.

Malen mit Wachsmalstiften
Der Wachsmalstift ist ein vielseitiges und herrliches Malmaterial für das Kind. Am Anfang genügt ein Etui mit sechs Stiften. Es sollte darauf geachtet werden, daß die Stifte ungiftig und auswaschbar sind. Darüber hinaus sollten sie nicht zu dünn sein, da sie sonst schnell durchbrechen. Dadurch ersparen Sie dem Kind unnötige Enttäuschungen. Die Farben von Wachsstiften lassen sich besonders leicht auf das Papier bringen. Die einzelnen Töne sind besonders leuchtkräftig. Wenn Ihr Kind verschiedene Farbschichten übereinander malt, wird es feststellen, daß dunkle Farben die helleren zudecken und daß helle sich mit dunklen Farben vermischen und einen neuen Farbton ergeben. Und noch eins: Hängen Sie die Bilder auf, dann spürt Ihr Kind, daß Ihnen seine Werke gefallen, und Sie regen es zugleich zum weiteren Malen an.

Kneten und Formen
Beim Formen mit plastischem Material lernen Kinder, wie man diese Materialien behandeln muß. So wird das Rollen, Kneten, Kugeldrehen, Drücken, Zupfen gelernt. Die Geschicklichkeit beider Hände wird be-

nötigt. Das Spiel mit plastischem Material erfaßt den ganzen Körper. Manchmal muß das Plastilin jedoch von einem Erwachsenen weichgeknetet werden, damit es sich von den kleinen Kinderhänden leichter formen läßt.

Gestalten mit verschiedenen Materialien
Aber nicht nur herkömmliche Spielmaterialien regen die Phantasie des Kleinstkindes an. Es ist in ganz besonderer Weise »neu-gierig«, gierig nach Neuem. Von daher ist es notwendig und ratsam, Kindern vielerlei Materialien zum freien Gestalten anzubieten, dabei entdecken sie immer wieder neue Verwendungsmöglichkeiten. In jedem Haushalt sammelt sich eine Fülle von »Wegwerfprodukten« an, die dem Kind vielfältige Anstöße zum Gestalten geben können. Ganz besonders eignen sich z. B. Materialien wie: Pappe, Papier, Stoffreste, Schachteln, Dosen, Papprollen, leere Plastikflaschen (Vorsicht jedoch bei Spülmittelflaschen) und Joghurtbecher. Je reichhaltiger der Vorrat ist, desto größer ist die Anregung, die vom Material ausgeht.

Wahrnehmung

Wie wir schon im ersten Kapitel gesehen haben, sind praktisch sämtliche Sinne des Babys mit der Geburt oder kurz danach funktionsbereit. Seine Sinnesempfindungen sind Voraussetzung für das Lernen und die freie Entfaltung in seiner Umwelt.
Schon in den ersten Lebenswochen fesseln den Säugling alle Bewegungen, Licht- und Geräuschquellen um ihn herum. Er konzentriert sich mehr und mehr darauf und verfeinert dadurch seine Aufmerksamkeits- und Wahrnehmungsfähigkeit.
Ehe jedoch die Wahrnehmungswelt für das Kind jene Bedeutung erhält, die sie für uns Erwachsene hat, muß es viel über die Welt lernen und darüber, was sich mit welchen Mitteln erreichen läßt.
Frühe Anregungen für das Sehen, Hören, Tasten, Schmecken und Riechen ermöglichen dem Kleinstkind wichtige Erfahrungen über Form, Gewicht, Oberfläche, Geschmack, Geruch und Geräuschmöglichkeiten von Dingen aus seiner Umwelt.
Je älter das Kind wird, um so mehr erwirbt es Erfahrungen und Erkenntnisse durch verschiedene Sinnesfunktionen zugleich. Ein Spielgegenstand wird nicht nur betrachtet, sondern auch in den Mund gesteckt und auf den Boden geklopft, d. h. seine Beschaffenheit durch Sehen, Beißen, Tasten, Lutschen und Hören zugleich erfahren. Gerade diese unterschiedliche Wahrnehmungsweise ermöglicht dem Kind, Dinge vielseitiger zu erkennen, zu verstehen und somit einen größeren und stabileren Erfahrungsschatz aufzubauen.
Kleinstkinder können allerdings nur begrenzt Eindrücke aus der Um-

welt aufnehmen. Dies bedeutet, daß einige sich wiederholende Regelmäßigkeiten in der Umwelt außer acht gelassen werden und die beschränkte Fähigkeit der Informationsverarbeitung auf das konzentriert wird, was neu und interessant ist.

Für eine intensive Wahrnehmungsförderung und vielseitige Sinneserfahrung ist es deshalb wichtig, daß ausreichend Erforschungsmaterial bereitgestellt wird und dem Kind genügend Freiraum sowie Interesse und Anteilnahme gewährt werden.

Die nachfolgenden Spielanregungen sind zwar nach einzelnen Sinnesbereichen gegliedert, jedoch kann eine strenge Unterscheidung nicht getroffen werden, da, wie z. B. beim »Stehaufmännchen«, oft mehrere Funktionsbereiche gleichsam angeregt und beteiligt sind: Sehen, Hören, Fühlen.

Manche Anregungen werden vielleicht schon zu Ihrem Spielrepertoire gehören, jedoch ist eins wichtig: Die nachfolgenden Spiele sind lediglich Anregungen für Sie und Ihr Kind, lassen Sie deshalb Ihrer Phantasie und Kreativität freien Lauf und denken Sie sich auch eigene Spiele aus. Achten Sie aber immer wieder darauf, daß es kein Training wird, sondern daß die Spiele sinnvoll in den Tageslauf »eingebaut« werden.

Spielanregungen für das Sehen
Wenn Ihr Kind einige Wochen alt ist, hat es schon jeden Tag seine Wachzeiten, in denen es mit offenen Augen im Bettchen liegt und anfängt, interessiert seine Umgebung zu beobachten. Stellen Sie deshalb das Kinderbettchen so, daß Ihr Kind keine kahlen Wände anzuschauen braucht, sondern vieles sehen kann. Beziehen Sie sein Bettchen gelegentlich auch mit einem gemusterten Bettbezug; es wird diesen immer wieder angeregt betrachten. An einem stürmischen Tag wird es sich an den dahinziehenden Wolken erfreuen. In der Nähe der Heizung können Sie ein Mobile, eine Wärmeschlange, bunte Papierstreifen oder ein Windrad aufhängen. Zeigen Sie Ihrem Kind auch in Ihrer Wohnung viele Dinge, vor allem, wenn sie sich bewegen: Pendel einer Standuhr, ein hin- und herhüpfender Wellensittich in einem Käfig, auf der Straße vorbeifahrende Autos usw. Sprechen Sie aber immer mit ihm und erklären alles, auch wenn es dies noch nicht verstehen kann. Wenn es etwa 2 bis 3 Monate alt ist, zeigen Sie ihm seine Hände und machen einige Bewegungen mit ihnen. Führen Sie sie zusammen und wieder auseinander. Legen Sie ihm eine leichte Rassel in eine Hand. Vielleicht kann es diesen Gegenstand schon erkennen. Wenn es Sie dabei mehr betrachtet als die Rassel, so gehen Sie etwas beiseite, so daß es die Rassel sehen kann, ohne durch Sie abgelenkt zu werden.

Etwa ab 4 bis 5 Monate
Wenn Ihr Kind auf dem Rücken liegt, legen Sie ein Spielzeug in die Nä-

he seiner Hand, damit es darauf schaut. Beobachten Sie, ob es das Spielzeug ergreift und an den Mund führt. Lassen Sie es mit einem Stehaufmännchen spielen. Hängen Sie eine Rassel oder eine Spielglocke über sein Bettchen. Befestigen Sie ein Band und ziehen daran, damit die Rassel oder die Glocke einen Ton erzeugen kann. Beobachten Sie, ob es daran zieht, um den Ton noch einmal zu hören. Es lernt hierdurch auch die Beziehung zwischen Ursache und Wirkung kennen.

Etwa ab 6 bis 8 Monate

Geben Sie Ihrem Kind ungefährliche Haushaltsgegenstände zum Spielen: kleinere Töpfe, leere Plastikflaschen (Vorsicht jedoch bei Spülmittelflaschen), Zeitschriften, Löffel, kleine Pappdosen, Kleidungsstücke und andere Dinge. Es wird ihm sicher große Freude bereiten, all diese Sachen zu erforschen. Sagen Sie ihm, wie die Gegenstände heißen, auch wenn es noch nicht sprechen kann. Zeigen Sie Ihrem Kind eine Banane, Apfelsine oder einen Ball in seinem Bilderbuch oder in einer Illustrierten, und legen Sie daneben eine echte Banane. Anfangs wird es vielleicht noch etwas verwirrt sein und Abbildung und Realität noch nicht recht unterscheiden können.

Etwa ab 9 bis 11 Monate

Geben Sie Ihrem Kind eine kleine Dose und einen noch kleineren Gegenstand, welcher in die Dose paßt (z. B. Baustein). Legen Sie den Gegenstand in die Dose, wenn es das nicht selbst tut. Zuerst lernt es, den Gegenstand aus der Dose herauszunehmen, ehe es ihn auch hineinlegen kann. Legen Sie zwei Holzbausteine aufeinander. Ihr Kind lernt das Aufeinandersetzen, indem es den obersten Baustein herunternimmt. Es kann zunächst nur abbauen, aber noch nicht aufbauen. Es dauert eine ganze Zeit, bis es einen Stein auf den anderen setzen kann. Spielen Sie und Ihr Kind mit einem Ball. Zeigen Sie ihm wie er durch das Zimmer rollt, irgendwo gegenstößt und zurückrollt. Verstecken Sie vor den Augen Ihres Kindes ein Spielzeug. Sicher wird Ihr Kind das Spielzeug suchen wollen. Es lernt dabei, daß Dinge noch existieren, auch wenn man sie im Moment nicht sieht.

Etwa ab 12 bis 14 Monate

Ganz besonders viel zu sehen bekommt Ihr Kind beim täglichen Spaziergang. Bieten Sie ihm dabei entsprechende Abwechslungsmöglichkeiten: belebte Straße, Wiesen, Wald, See- oder Flußufer usw. Während dieser Spaziergänge machen Sie Ihr Kind auf möglichst viele Dinge aufmerksam. Nehmen Sie sich Zeit, es möchte einem Auto, einem Flugzeug, einem Hund oder anderen Kindern nachschauen. Erklären Sie ihm alles. Auch wenn es noch nicht alles versteht, so nimmt es doch eine Menge von Eindrücken auf und verarbeitet sie. Lassen Sie Ihr Kind

Rosinen in eine Plastikflasche mit einer kleinen Öffnung füllen. Geben Sie ihm dann z. B. einen Tischtennisball, damit es versuchen kann, auch diesen in die Flasche zu stecken. So lernt es, daß manche Dinge so groß sind, daß sie nicht in eine Flasche passen. Spielen Sie mit Ihrem Kind Verstecken. Beginnen Sie etwa so: Legen Sie z. B. eine Puppe unbeobachtet auf den Tisch und fragen: »Wo ist die Puppe?« Freuen Sie sich dann mit Ihrem Kind, wenn es die Puppe gefunden hat. Beim nächsten Mal legen Sie die Puppe unter den Tisch, dann unter einen Stuhl usw. So wird das Spiel immer schwieriger. Ganz besonders schwer ist es für das Kind, und es erfordert ein genaues Hinsehen und Vergleichen, wenn das Spielmaterial die gleiche Farbe besitzt wie der Hintergrund. Oft schon vor dem ersten Lebensjahr fängt das Kind an, in Bilderbüchern, Illustrierten, Katalogen usw. zu blättern. Es erkennt das Dargestellte als Abbilder der wirklichen Dinge und kann sie auch bald benennen. Schauen Sie deshalb häufig gemeinsam in Bilderbücher oder dergleichen. Besonders interessant findet Ihr Kind Bilder, auf denen viel zu sehen ist; es ist immer wieder überrascht, neue Dinge auf dem Bild zu entdecken. Erklären Sie ihm die einzelnen Darstellungen.

Etwa ab 18 Monate
Zeigen Sie Ihrem Kind drei vertraute Gegenstände, nehmen einen – wenn Ihr Kind nicht hinschaut – davon wieder weg und fragen Ihr Kind, was jetzt fehlt. Wenn es bei den ersten Versuchen noch nicht so recht klappen will, haben Sie Geduld und versuchen Sie es zunächst nur mit zwei Gegenständen. Freuen Sie sich mit Ihrem Kind, wenn es sich einmal richtig erinnert hat, seien Sie aber auch nicht enttäuscht, falls es das noch nicht kann. Bei diesem Spiel »sieht« Ihr Kind den fehlenden Gegenstand innerlich vor sich. Bei immer besser werdendem Erinnerungsvermögen können Sie auch die Zahl der Gegenstände erhöhen.

Etwa ab 24 Monate
Zeigen Sie Ihrem Kind, was man mit Seifenblasen machen kann. Es wird entzückt den einzelnen Blasen nachschauen. Sammeln Sie bei einem Spaziergang unterschiedliche Blätter. Legen Sie zu Hause die Blätter auf ein großes Stück Papier und zeichnen Sie mit einem Stift die Konturen nach. Ihr Kind soll dabei Zeichnung und Blätter vergleichen und versuchen, die Blätter richtig auf die Zeichnung zu legen. Auch Puzzlespiele können Sie ihm anbieten. Entmutigen Sie Ihr Kind nicht, indem Sie ihm Puzzlespiele mit zu vielen Einzelteilen geben. Richten Sie sich nach den Fähigkeiten Ihres Kindes; kann es ein dreiteiliges Puzzlespiel zusammensetzen, geben Sie ihm ein vierteiliges usw. Sie können ein Puzzle auch selbst herstellen, indem Sie z. B. ein großes Bild aus einer Illustrierten ausschneiden, es auf Pappe kleben und ent-

sprechend 3, 4 oder mehr Teile ausschneiden. Lassen Sie Ihr Kind dabei zuschauen. Spielen Sie mit Ihrem Kind Bilderlotto. Auch dies können Sie selbst herstellen, wenn Sie sich z. B. zwei gleiche Illustrierte besorgen und aus einer ein bestimmtes Motiv ausschneiden. Ihr Kind soll nun in der anderen das entsprechende Motiv wiederfinden. Helfen Sie ihm ein wenig dabei, indem Sie anfangs schon die Seite mit dem entsprechenden Motiv aufgeschlagen haben. Wenn Sie Ihrem Kind z. B. einen roten Strumpf anziehen, zeigen Sie ihm einen roten und einen blauen Strumpf und fragen etwa: »Welcher Strumpf gehört zu dem Strumpf, den du anhast?« Ihr Kind lernt so, Farben zu vergleichen. Machen Sie dieses Spiel mit verschiedenen andersfarbigen Strümpfen. Ihr Kind kann z. B. auch beim Einräumen in einen Schrank helfen und zuordnen. Nennen Sie auch jeweils die entsprechenden Farben.

Spielanregungen zum Hören
Wir Erwachsenen nehmen viele Geräusche gar nicht mehr wahr, auf die ein Kleinstkind angeregt lauscht. Geben Sie deshalb Ihrem Kind schon in den ersten Monaten vielfältige Höranregungen, die es für seine Hörentwicklung braucht. Türenschließen, Radio, Ticken einer Uhr, Küchenmaschinen, Staubsauger, vorbeifahrende Autos, Hundegebell, Flugzeuge usw. Zeigen und erklären Sie ihm nach Möglichkeit die Geräuschquelle. Sprechen Sie mit Ihrem Kind von verschiedenen Standpunkten im Zimmer aus, wenn es in seinem Bettchen liegt. Stellen Sie dabei fest, ob es Sie hört. Legen Sie eine Rassel in die Hand Ihres Kindes. Wenn es seine Hand bewegt, zuerst unwillkürlich, später bewußt, wird die Rassel ein Geräusch machen. Singen Sie Ihrem Kind viel vor. Es wird andächtig Ihrer Stimme lauschen. Auch der Klang von japanischen Windglocken oder einer Spieluhr gefällt Ihrem Kind bestimmt. Die japanischen Windglocken hängen Sie am besten in die Nähe des Fensters oder der Tür, wo meistens ein leichter Luftzug herrscht.

Etwa ab 6 bis 8 Monate
Lassen Sie Ihr Kind mit einer Rassel klappern, mit Butterbrotpapier knistern oder mit einem Kochlöffel auf einen Topf trommeln. Ein Schlüsselbund zum Rasseln macht Ihrem Kind besonders viel Freude. Geben Sie ihm ein Quietschtier aus Plastik. Zuerst wird es vielleicht umherschauen, um festzustellen, woher das Geräusch kommt, bis es lernt, daß das Spielzeug dieses Quietschen erzeugt. Mit all diesen Dingen lernt Ihr Kind, wie es selbst Geräusche erzeugen kann. Tanzen Sie zu Musik, während Sie es auf dem Arm halten. Es hat Spaß am Rhythmus, am Klang der Musik und an der Bewegung. Lassen Sie über seinem Bett eine Glocke, eine Klapper oder eine Spieluhr herabhängen. Ihr Kind bekommt bestimmt bald heraus, wie man das Band fest ergreift und energisch schüttelt, um ein Geräusch zu erzeugen.

Etwa ab 12 bis 14 Monate
Lassen Sie Ihr Kind auf ein Spielzeugxylophon oder Glockenspiel schlagen. Es hat bestimmt Spaß an den Klängen, die es hervorbringen kann. Wenn Sie es ihm vormachen, kann es auch Ihr schnelleres und langsameres, lauteres und leiseres Schlagen nachahmen.

Spielanregungen zum Fühlen und Tasten
Kleinstkinder brauchen schon in den ersten Lebensmonaten Dinge zum Greifen und Fühlen. Je mehr verschiedene Spielmaterialien das Kind anfaßt, desto besser ist es für seine geistige Entwicklung. Alles wandert jedoch erst einmal in den Mund. Geben Sie ihm daher nichts, was gefährlich sein könnte: nichts Spitzes oder Scharfkantiges, nichts Unhygienisches, nichts, was es verschlucken könnte.
Einige Vorschläge zum Tasten und Fühlen: verschiedene Tücher (z. B. Seide, grobe Wolle usw.), verschiedene Löffel (Holz-, Kunststoff-, Metallöffel usw.), verschiedene Bälle (Tennis-, Tischtennis-, Gummi-, Leder-, Plastikbälle usw.) und viele andere Gegenstände, die Ihr Kind begreifen, befühlen und betasten kann. Es lernt dabei viel über Formen, Größen, Gewichte, Material und Oberflächenbeschaffenheit.

Ab etwa 10 bis 12 Monate
Wenn Sie mit Ihrem Kind draußen sind, zeigen auch Sie Interesse für all die Dinge, die Ihr Kind befühlen und untersuchen will: Steine, Gras, Äste, Blätter, Erde, Sand, Wasser, das Fell eines Hundes usw. Alles fühlt sich anders an, Ihr Kind wird hierdurch feinfühliger. Spielen Sie auch gemeinsam bei passender Gelegenheit mit dem einen oder anderen Material. Zeigen Sie Ihrem Kind auch, daß es für bestimmte Tastempfindungen Wörter gibt, z. B. weich, hart, warm, kalt, glatt, rauh. Zeigen Sie Ihrem Kind, daß der Kühlschrank (insbesondere das Gefrierfach) kalt und seine Milchflasche warm ist. Oder schalten Sie den Elektroherd mehrmals kurz ein, damit Ihr Kind so die verschiedenen Wärmegrade erfühlen kann. Auf diese Weise lernt es am besten, daß die Kochplatte kalt, warm und heiß sein kann. Überprüfen Sie jedoch vorher die Temperatur selbst und reagieren Sie auf die jeweilige Temperatur mit entsprechenden Erklärungen und Gesten. Stecken Sie in einen Beutel zwei verschiedene Dinge, z. B. einen kleinen Ball und einen Baustein. Nun soll Ihr Kind den Ball herausholen. Es wird versuchen, den Ball nur durch Tasten zu finden. Sie können den Schwierigkeitsgrad noch erhöhen, indem Sie mehrere Gegenstände in den Beutel legen oder von der Form und Oberflächenbeschaffenheit her ähnliche Gegenstände.

Spielanregungen zum Riechen und Schmecken
Schon im ersten Lebensjahr nimmt Ihr Kind viele unterschiedliche Gerüche auf, ohne bewußt den Gerüchen nachzugehen und zu »schnup-

pern«. Jetzt sollten Sie es auf viele Gerüche aufmerksam machen und an den Dingen riechen lassen. Wenn Sie ihm zum ersten Mal sagen, daß es an etwas riechen soll, weiß es vielleicht noch gar nicht, was es tun muß. Anfangs pustet es vielleicht, aber mit der Zeit kommt es dahinter. Machen Sie es deshalb auf Dinge aufmerksam, die duften. Nach einiger Zeit wird es von selbst an Dingen »schnuppern« wollen, die einen Duft an sich haben: Blumen – Obst – Kochtöpfe und Bratpfannen mit leckerem Inhalt – Zimt – Vanille – Schokolade – Cremedosen und anderes. Fragen Sie, welcher Duft ihm gefällt und welcher nicht. Es bedarf jedoch langer Erfahrung, bis es die verschiedenen Gerüche benennen kann. In gleicher Weise können Sie auch den Geschmackssinn Ihres Kindes anregen. Lassen Sie Ihr Kind kleine Mengen verschiedener Nahrungsmittel probieren. Bereiten Sie nach Möglichkeit auch einige Speisen mit Ihrem Kind zusammen vor. So reiben Sie z. B. zusammen einen Apfel oder eine Möhre und lassen Ihr Kind davon kosten. Pressen Sie gemeinsam eine Orange aus und trinken auch gemeinsam den Saft. Geben Sie Ihrem Kind auf diese Weise wiederholt kleinere Geschmacksproben (verschiedene Obstsorten, Salzstangen, Honig, Schokolade, Senf, Maggi, Mayonnaise usw.). An besonders salzigen, sauren oder bitteren Dingen wird Ihr Kind natürlich nur kurz lecken. Sagen Sie ihm deshalb auch immer vorher, wie die Probe schmeckt, damit es nicht erschrocken zurückweicht.

Nachahmung

Interessiert und mit zunehmender Aufmerksamkeit beobachtet das Kind Mimik, Gesten und Bewegungen der Menschen aus seiner Umgebung. Geliebte und bewunderte Personen werden, wie die Alltagserfahrung lehrt, besonders gerne nachgeahmt. So versucht es etwa zu Beginn des zweiten Lebensjahres, typische Ausdrucksformen geliebter Personen nachzuahmen, selbst wenn es deren Bedeutung noch nicht versteht. Es beobachtet ganz genau die Tätigkeiten der Eltern, die sie im Verlauf des Tages ausüben. Und alles, was sie tun, findet es so interessant und aufregend, daß es die Sache selber ausprobieren möchte: den Kochherd oder die Stereoanlage einschalten, seine Brote selbst belegen, den Blumen Wasser geben, den Teppich saugen usw. Verständige Eltern werden daher vielerlei Möglichkeiten für eine gefahrlose Nachahmung ihrer Tätigkeit finden: Mithelfen bei der Essenszubereitung, beim Reinigen der Wohnung sind nur beispielhafte Gelegenheiten, bei denen sich das Kind betätigen kann. Manchmal werden Sie überrascht sein, wie gut Ihr Kind Sie beobachtet hat und Ihre, für Sie selbst unbewußten Verhaltensweisen nachahmt. Das kindliche Nachahmungsverhalten ist zu akzeptieren und zu unterstützen. Das Kind muß sich seine eigene Welt langsam aufbauen und braucht dabei die

Orientierung an den Erwachsenen. Wie kann es gewisse Erfahrungen sammeln und dadurch auch Selbstvertrauen gewinnen, wenn es nicht erfahren und erproben durfte, wie etwas geschieht. Nur durch bloßes Zuschauen ist dies nicht möglich. Das Kind lernt sprichwörtlich mit dem ganzen Körper »be-greifen«.

Etwa ab 4 bis 5 Monate
Lächeln Sie Ihr Kind an, während es auf dem Wickeltisch liegt, und sagen einen Laut, den Sie von Ihrem Baby gehört haben, z. B. ein g, ein r oder ah. Sagen Sie diese Laute nicht zu schnell hintereinander. Warten Sie, bis es Sie nachahmt. Lassen Sie ihm Zeit; schauen Sie es freundlich an und warten mindestens fünf Sekunden, bis Sie einen Laut wiederholen.

Etwa ab 6 bis 8 Monate
Drücken Sie ein Quietschtier. Macht Ihr Kind das nach? Wenn es mit seiner Rassel (oder einem anderen Gegenstand) auf den Tisch haut, nehmen Sie ihm die Rassel freundlich weg und ahmen sein rhythmisches Klopfen nach. Geben Sie ihm die Rassel wieder, damit es das wiederholen kann. Spielen Sie dieses Spiel weiter, indem Sie alle seine Bewegungen nachahmen; es hat Freude an diesen Spielen und macht Ihre Bewegungen gerne nach.

Etwa ab 9 bis 11 Monate
Wenn Sie Kerzen ausblasen, lassen Sie Ihr Kind auch einmal pusten. Machen Sie »Winke-winke« und warten, bis Ihr Kind Sie nachahmt. Es wird einige Zeit dauern, bis es dies nachvollziehen kann.

Etwa ab 15 bis 20 Monate
Tun Sie so, als ob Sie aus einer leeren Tasse trinken und geben Ihrem Kind anschließend die Tasse. Lassen Sie Ihr Kind mit einer vertrauten Person telefonieren. Lassen Sie es bei einigen Ihrer Telefongespräche dabeisein.

Etwa ab 12 bis 18 Monate
Der Haushalt ist für Ihr Kind ein wahres Paradies für aufregende und interessante Entdeckungen. Es möchte alles kennenlernen, untersuchen und vor allen Dingen all das tun, was Sie auch gerade tun. Besonders anziehend ist die Küche. Lassen Sie Ihr Kind möglichst oft zuschauen und je nach Entwicklungsstand mithelfen. Es kann Kartoffeln waschen und Ihnen zum Schälen reichen. Wenn es dabei platschnaß wird, sollten Sie ihm vorher eine Gummischürze oder etwas Ähnliches anziehen. Beim Geschirrspülen kann Ihr Kind einzelne Teile selbst spülen (nicht in zu heißem Wasser). Bestimmte Dinge miteinander vermi-

schen. Zutaten herbeiholen. Beim Auspacken der Einkäufe helfen. Verschlüsse auf- und wieder zudrehen. Papier zusammenknüllen und in den Papierkorb werfen. Gemüse abblättern, Kuchenteig formen usw. Auch beim Tischdecken möchte Ihr Kind Ihnen helfen. Es kann mit Ihnen zusammen die Tischdecke glattziehen. Es darf Ihnen helfen beim Herbeitragen des Geschirrs, der Bestecke und eventueller Zutaten. Achten Sie jedoch darauf, daß Sie alle Tätigkeiten langsam und in Ruhe ausführen, sonst versucht Ihr Kind, ebenfalls so flott wie Sie zu sein, und erlebt dabei natürlich einige Mißerfolge. Falls es einmal Scherben gibt, schimpfen Sie nicht, sondern sagen Sie ihm, daß so etwas jedem einmal passieren kann, und räumen mit ihm die Scherben weg. Wenn Sie schimpfen, wird Ihr Kind unsicher und beim nächsten Mal noch eher etwas fallen lassen. Noch weitere im Haushalt anfallende Tätigkeiten machen Ihrem Kind große Freude: Es darf Ihnen helfen, mit dem Besen zu kehren und die Schaufel halten, wenn Sie die Schmutzhäufchen beseitigen. Beim Wischen oder Staubputzen bekommt es selbst auch einen kleinen Lappen. Lassen Sie Ihr Kind beim Staubsaugen helfen. Machen Sie es auf die sichtbaren Krümel oder Flocken auf dem Teppich aufmerksam, ehe Sie gemeinsam mit dem Staubsauger darüberfahren. Lassen Sie Ihr Kind jemandem einen Apfel oder etwas Ähnliches in ein anderes Zimmer bringen. Lassen Sie es beim Bettenmachen helfen usw. Lassen Sie Ihr Kind auch hin und wieder bestimmte Handlungsketten verfolgen. Wenn Ihr Kind Kartoffeln wäscht, zeigen Sie ihm, wie diese kleingeschnitten werden, in den Topf kommen, anschließend gekocht werden und letztlich auf dem Teller liegen. Versuchen Sie selbst, sich andere Handlungsketten auszudenken, damit Ihr Kind größere Zusammenhänge verstehen lernt.

Etwa ab 21 bis 30 Monate
Um diese Zeit fängt das Kind an, sich Dinge in seiner Phantasie vorzustellen. Es stellt sich vor, etwas zu essen, das es auf Bildern sieht, und seine Puppen und Stofftiere behandelt es, als wären es Babys. Ermuntern Sie es zu solchen Spielen, denn so lernt es, wie die Menschen seiner Umgebung zu handeln, und findet Freude daran.
Geben Sie ihm deshalb Puppen und Stofftiere, Kochtöpfe, Pfannen, Kochlöffel und ähnliche Dinge. Es soll damit angeregt werden, sich vorzustellen, daß es z. B. sein Baby versorgt oder mit einem Spielgefährten ißt. Besuchen Sie mit Ihrem Kind einen Zoo oder einen Tierpark. Schauen Sie sich dann zu Hause Bilder von Tieren an, die Sie gesehen haben. Ahmen Sie gemeinsam mit Ihrem Kind die Tiere nach. Lassen Sie das Kind weiterhin Fahrzeuge, Haushaltsgeräte, Wind, Wasser, Räder, Schritte, Bewegungen nachahmen. Durch das Umsetzen von der Beachtung in eine Handlung entwickelt das Kind ein Gespür für unterschiedliche Verhaltensweisen.

Sprache

Durch die Sprache erobert der Mensch die Welt. Ohne Sprache gäbe es keine Verständigung, keine Kommunikation. Kommunikation betrifft zwar alle Mitteilungen und Beziehungen von Menschen untereinander, d. h. es fallen auch die Gestik und das Lächeln darunter, doch hat die sprachliche Kommunikation einen ganz entscheidenden Anteil an der Entwicklung des Kindes und an der Entfaltung seiner Persönlichkeit. Fast alle Lernprozesse, die das Kind im Laufe seiner Entwicklung durchläuft, sind in irgendeiner Form an die Sprache gebunden. Die Sprachentwicklung verläuft bei Kindern sehr unterschiedlich. Das eine Kind lernt früh, das andere spät sprechen; das eine spricht von Anfang an klar und deutlich, das andere erst nach und nach. Eltern sollten aber nicht gleich beunruhigt sein, wenn ihr Kind mit dem Sprechen etwas später dran ist oder wenn nach anfänglicher Sprachfreudigkeit ein Stocken eintritt. Das Kind sammelt in dieser Zeit des scheinbaren Stillstandes sehr viel an Eindrücken und Wortvorstellungen, um dann eines Tages mit einem größeren Wortschatz oder ganzen Sätzen seine Umgebung zu überraschen. Eltern brauchen sich also keine Sorgen zu machen, wenn ihr Kind anders oder noch nicht so viel wie ein anderes gleichaltriges Kind spricht.

Das Kind lernt seine Muttersprache zunächst durch Nachahmung. Wie groß deshalb sein Wortschatz mit drei Jahren sein wird, hängt weitgehend mit davon ab, wieviel und was Sie mit Ihrem Kind sprechen. Vom ersten Tag an sollten Sie mit Ihrem Kind sprechen. Auch wenn es den Sinn Ihrer Worte noch nicht versteht, ist die sprachliche Kommunikation genauso wichtig wie die Zuwendung beim Füttern oder Schmusen. Es lauscht lustvoll Ihrem Klang. Und unbewußt nimmt es schon Sprachklang und Sprachmuster auf. Sprechen Sie mit Ihrem Kind aber in der normalen Umgangssprache; wer mit dem Kind in der Babysprache redet, hemmt es oft in seiner Sprachentwicklung. Es versteht ja unsere Wörter und ihre Bedeutung, und wenn es mit zwei Jahren sagt: »Mama, nug gessen«, dann darum, weil es die Vorsilben noch nicht aussprechen kann. Wie soll es aber richtig und gut sprechen lernen, wenn es ein falsches Vorbild hat? Sprechen Sie deshalb auch vollständige Sätze, und achten Sie auf ein deutliches Vorsprechen. Auf gar keinen Fall sollten Sie aber mit Ihrem Kind gezielt üben. Je besser Ihr Kind die Sprache erlernt, desto besser kann es der Umwelt seine Pläne und Wünsche mitteilen. Das Absprechen und Besprechen wird im Laufe der kindlichen Entwicklung immer mehr zu einer wichtigen Regel, um das Miteinander mit Eltern und anderen Menschen konfliktärmer und reicher an Übereinstimmung zu gestalten.

Sprechen Sie von Anfang an sehr viel mit Ihrem Baby. Reden Sie über alles, was Sie mit Ihrem Kind gerade tun.

Erklären Sie ihm die Dinge, die es sieht und erlebt. Erzählen Sie ihm, daß es jetzt sein Fläschchen oder eine frische Windel bekommt, daß Sie es jetzt baden, daß Sie sein Essen jetzt zubereiten, daß Sie gleich mit ihm spazierengehen. Erklären Sie ihm dabei alles in einem liebevollen, freundlichen Ton. Benutzen Sie bewußt alle Wortarten (Hauptwörter, Tätigkeitswörter, Eigenschaftswörter, Verhältniswörter usw.). Gebrauchen Sie vor allen Dingen einen reichhaltigen Wortschatz; für das Wort »schön« gibt es z. B. in den verschiedenen Situationen viel treffendere Worte (phantastisch, ausgezeichnet, wunderbar, herrlich usw.). Sprechen Sie immer deutlich, nicht zu schnell, und betonen Sie gut. Nur so kann es unsere Sprachstruktur erlernen und ihre Ausdrucksfähigkeit erkennen.

Etwa 6 bis 8 Monate
Erzählen Sie Ihrem Kind kleine Geschichten, die Sie selbst erfunden haben und in denen Ihr Kind oder dem Kind bekannte Personen vorkommen. Bringen Sie Ihr Kind abends zu Bett, freut es sich ganz besonders, wenn Sie ihm eine kleine Geschichte erzählen. Vielleicht über das, was es am Tag erlebt hat oder was für morgen geplant ist. Lieder und Reime können Sie in diese Geschichten mit einflechten, dies hat Ihr Kind gerne, es hat Spaß daran, wenn bekannte Verse immer wiederkehren.

Etwa ab 12 bis 14 Monate
Sprechen Sie mit Ihrem Kind hin und wieder über Ziele, die Sie bei einem Spaziergang ansteuern, oder über Dinge, die im Haushalt getan werden müssen. Achten Sie jedoch darauf, daß die angestrebten und besprochenen Ziele zeitlich nicht zu weit entfernt sind, sonst hat Ihr Kind es inzwischen wieder vergessen, oder es wird ungeduldig. Geben Sie Ihrem Kind freundlich einfache Anweisungen, deren Befolgung ihm Freude macht: »Holst du mir bitte den Wagen?« »Gibst du mir bitte den Löffel?« Es versteht anfangs die Worte vielleicht noch nicht, aber wenn Sie ihm zeigen, was es zu tun hat, wird es Ihre Anweisungen immer besser verstehen. Zeigen Sie Ihrem Kind, wie man sich Bilder in Zeitschriften und Büchern ansieht und wie man die Seiten umblättert. Nennen Sie ihm die Namen von einigen Dingen, die Sie sehen, und erfinden Sie eigene Geschichten zu den Bildern. Lassen Sie Ihr Kind auf verschiedene Körperteile zeigen. Sagen Sie: »Wo ist deine Hand?« Erklären Sie ihm, wie es das machen soll, indem Sie mit Ihrem Finger auf seine Hand zeigen. Nehmen Sie dann den Zeigefinger seiner einen Hand und zeigen damit auf seine andere Hand. Fordern Sie Ihr Kind auf, auf Ihre Hand, Ihren Fuß usw. zu zeigen, indem Sie sagen: »Wo ist Papas Hand?« Haben Sie Geduld, wenn es dies noch nicht sofort kann, und freuen Sie sich, wenn es richtig reagiert hat.

Etwa ab 15 bis 20 Monate
Beschreiben Sie hin und wieder Ihrem Kind, was in seiner Umgebung geschieht. Zeigt es auf etwas, als wollte es fragen, »Was ist das?«, sagen Sie es ihm. Zeigen Sie Interesse und Freude an den ersten Worten Ihres Kindes. Falsch ausgesprochene Wörter dürfen Sie nicht ständig korrigieren. Sagt es beispielsweise »Bane« anstelle von Banane und weist auf die Banane in einer Illustrierten, dann sagen Sie z. B. freundlich und betont: »Ja, da ist eine Banane abgebildet, Bananen ißt du sehr gerne«. Machen Sie zusammen mit Ihrem Kind ein lustiges Ratespiel: Blättern Sie Bildseiten in Illustrierten, Bilderbüchern oder Zeitschriften auf und fragen Sie Ihr Kind »Ich sehe auf dem Bild einen Baum, siehst du den Baum auch?« Je komplexer die Bilder sind, um so schwieriger für Ihr Kind. Fragen Sie zunächst nur nach Dingen, die Ihr Kind auch schon kennt. Auch wenn Ihr Kind erst unverständliche Silben spricht, setzen Sie sich geduldig hin und führen Sie mit Ihrem Kind ein kleines Gespräch. Diese Gespräche sind äußerst wichtig, denn dadurch zeigen Sie Ihrem Kind, daß Sie es gern haben und seine Persönlichkeit akzeptieren. Nur so wird Ihr Kind später auch in der Lage sein, mit anderen Menschen Kontakt zu finden und deren Probleme ernst zu nehmen.

Etwa ab 24 bis 30 Monate
Für Ihr Kind leben die Dinge in seiner Umwelt. Es setzt sich sprachlich mit ihnen auseinander. Nehmen Sie an seinem Gespräch teil: Mit dem Tisch, an dem es sich gestoßen hat; mit dem Bär, der nicht essen will; mit dem Käfer, der über seine Hand krabbelt; mit dem Ball, der wegrollt; mit den Bausteinen, die immer wieder umfallen usw. Spielen Sie mit Ihrem Kind Verstecken: Legen Sie eine kleine Puppe auf den Tisch, in die Schachtel, unter den Tisch, zwischen zwei Sessel usw. So lernt Ihr Kind Verhältniswörter kennen und anwenden. Erklären Sie Ihrem Kind im voraus, wie der Plan für die nächsten Stunden aussieht; z. B.: Zuerst gehen wir zum Bäcker, dann kommen wir zum Essen nach Hause, dann hältst du deinen Mittagsschlaf.« Erzählen Sie Ihrem Kind, was Sie erlebt haben, wenn Sie einige Zeit nicht zusammen waren. Regen Sie Ihr Kind an, sich Dinge sehr genau anzuschauen, z. B. Blätter, Käfer, Blumen usw. Lassen Sie es erzählen, was es sieht.

Problemlösen und Ursache – Wirkung

Die Fähigkeit zum Problemlösen bei Kleinstkindern zeigt sich da, wo sie aktiv tätig Dinge festhalten, erforschen, wo sie sich von etwas, was sie behindert und stört, befreien, wo sie, was sie haben wollen, erreichen und etwas, was sie verlieren, suchen und finden.
In den ersten drei Lebensjahren wächst ständig die Fähigkeit des Kindes, Probleme zu lösen. Während noch beim jüngeren Kleinstkind die

Lösung eines Problems durch ein zufälliges Herumprobieren erreicht wird, entwickelt das ältere Kleinstkind immer mehr die Fähigkeit zur Problemlösung durch Einsicht. Die bei diesem Problemlösen ablaufenden inneren Prozesse kann man als ein verinnerlichtes Probehandeln bezeichnen – nach einer längeren Phase des Nachdenkens erfolgt die Lösung. Durch die Auseinandersetzung mit bestimmten Problemen bekommt das Kind immer neue Erfahrungen, es werden hierbei die einzelnen Sinne angeregt, und sein Gehirn wird mit immer neuen Informationen gefüttert. Diese Informationen werden gespeichert und bilden das Grundmaterial für alle späteren Denkprozesse. Die Fähigkeit, Probleme zu lösen, hängt daher wesentlich von den Anregungen und damit von den Spielgelegenheiten ab, die ein Kind in seiner Umgebung vorfindet. Es ist deshalb anzunehmen, daß bei dieser frühen Entwicklungsförderung eine abwechslungsreiche, anregende Umwelt, eine liebevoll-ermutigende und verständnisvolle Zuwendung der Eltern und vielseitige Spielgelegenheiten von großer Bedeutung sind. Wenn hier von einer liebevoll-ermutigenden und verständnisvollen Zuwendung die Rede ist, so ist es gerade bei diesen Spielen von Wichtigkeit, daß sich das Kind selbständig und intensiv mit dem »Problem« auseinandersetzen kann. Eltern sind leider oft viel zu ungeduldig und wollen ihrem Kind, wenn es etwas nicht sofort lösen kann, helfen. Eine zu frühe Hilfestellung beeinträchtigt jedoch die Durchsetzungsfähigkeit des Kindes, und es wird bei dem nächsten Problem sofort um Unterstützung bitten. Einspringen und helfen sollte man daher erst, wenn das Kind gar nicht mehr weiter weiß und unglücklich darüber ist.

Besonders durch Spiele, bei denen das Kind Ursache und Wirkung (z. B. Hampelmann mit Band – Kind zieht an dem Band – Hampelmann bewegt sich, vergleiche auch S. 17) deutlich beobachten kann, macht es wichtige Erfahrungen, die zur Lösung von Problemen beitragen. Ermöglichen Sie deshalb Ihrem Kind derartige Erfahrungen und zeigen Sie selbst vor allen Dingen bei Problemlösungsversuchen im täglichen Leben Ruhe, Geduld, Einfallsreichtum und Ausdauer.

Etwa ab 8 bis 12 Monate
Zeigen Sie ihm ein vertrautes Bild, halten Sie es jedoch verkehrt herum. Verdreht es nun den Kopf, um das Bild aufrecht zu sehen? Wenn es nicht reagiert, zeigen Sie ihm das Bild erst richtig herum und dann wieder mit dem Kopf nach unten. Geben Sie Ihrem Kind die Möglichkeit, verschiedene Lampen an- und auszuschalten (z. B. Zimmer- und Taschenlampen). Lassen Sie Ihr Kind mit Wasser und Gegenständen spielen. Es wird wichtige Erfahrungen machen: das eine sinkt, das andere schwimmt; wenn es aus geringer Höhe einen Gegenstand ins Wasser plumpsen läßt, spritzt es wenig, aus großer Höhe sehr usw.

Etwa ab 12 bis 14 Monate
Geben Sie Ihrem Kind die Möglichkeit, mit dem Wasserhahn zu spielen. Es macht hierbei durch Ursache – Wirkung interessante Erfahrungen: Wenn es den Wasserhahn aufdreht, fließt Wasser; beim Zudrehen fließt es nicht mehr; es kann wenig und viel Wasser fließen; manchmal ist das Wasser warm, manchmal kalt (achten Sie jedoch darauf, daß es sich nicht verbrühen kann). Zeigen Sie ihm einen Wecker und wie man die Knöpfe bedienen muß, damit er klingelt oder aufhört zu klingeln. Lassen Sie Ihr Kind auch allein damit spielen, vielleicht kann es diese Aufgabe schon selbst lösen.

Etwa ab 15 bis 20 Monate
Stecken Sie eine Rosine in eine kleine Plastikflasche. Der Flaschenhals muß so eng sein, daß das Kind die Rosine nicht mit der Hand herausholen kann. Stellt es die Flasche auf den Kopf, um die Rosine zu bekommen? Wenn nicht, zeigen Sie ihm, wie man es machen muß. Zeigen Sie ihm, wie man drei Becher ineinandersteckt. Stellen Sie die Becher vor Ihr Kind. Es soll nun selbst versuchen, die Becher richtig ineinanderzusetzen. Das wird einiger Übung bedürfen; die Becher müssen gut ineinander passen. Geben Sie ihm anfangs Becher, deren Größenunterschiede offensichtlich sind. Das gleiche können Sie auch mit Pappdosen machen. Legen Sie ein Spielzeug in eine kleine Schachtel, und schließen Sie den Deckel. Legen Sie die verschlossene Schachtel in eine größere und schließen deren Deckel ebenfalls. Nun soll das Kind das Spielzeug suchen. Wenn Ihr Kind dieses Spiel nicht versteht und ungeduldig wird, zeigen Sie es ihm noch einmal.

Etwa ab 21 bis 29 Monate
Schneiden Sie aus einer Illustrierten ein großes Foto eines Menschen aus und kleben Sie es auf einen Pappdeckel. Zerschneiden Sie es in die Körperteile und machen Sie ein Puzzlespiel daraus. Nun soll Ihr Kind es zusammensetzen. Lassen Sie Ihr Kind Ringe verschiedener Größen über einen Stock legen – in der Reihenfolge ihrer Größe. Fangen Sie mit nur drei Ringen an; wenn es das richtig beherrscht, geben Sie ihm weitere, immer mehr, bis es alle richtig über den Stock legen kann. Legen Sie drei verschiedene Bilder auf den Tisch. Zeigen Sie ihm ein viertes Bild, das einem der drei anderen gleicht, und sagen: »Gib mir bitte das Bild, das genauso aussieht.« Später können Sie dieses Spiel mit vier Bildern machen. Lassen Sie Ihr Kind Birken-, Eichen- und Buchenblätter ordnen, die Sie gemeinsam gesammelt haben. Stellen Sie zwei Becher auf den Tisch, einen vor Ihr Kind, einen vor sich selbst. Erklären Sie ihm, wie man »eins für dich und eins für mich« spielt. Legen Sie eine Rosine in seinen Becher, dann eine in Ihren. Dieses Spiel können Sie auch mit anderen Gegenständen gemeinsam durchführen.

Etwa ab 30 bis 36 Monate

Stecken Sie verschiedene Gegenstände, die Ihr Kind gut kennt, in einen Sack. Fordern Sie es auf: »Hol mir bitte die Banane aus dem Sack!« Lassen Sie Ihr Kind möglichst nicht hineinschauen. Legen Sie fünf Gegenstände auf den Tisch. Lassen Sie Ihr Kind sagen, was es dort sieht. Nehmen Sie dann, wenn Ihr Kind gerade nicht hinschaut, einen Gegenstand weg und fragen: »Was fehlt hier?« Lassen Sie Ihr Kind Bestecke oder Bausteine sortieren. Sagen Sie beim Einkaufen: »Wir wollen roten Saft kaufen, siehst du welchen?« Spielen Sie mit Ihrem Kind mit drei verschieden großen Bällen. Es soll Sie dabei fragen: »Welchen möchtest du?« Sie sagen entweder »den großen Ball«, »den kleinen Ball« oder »den mittleren Ball«. Besondere Freude macht es ihm, wenn es bei diesem Spiel auf einer Treppe stehen und den Ball zu Ihnen hinunterwerfen darf. Reizvoll für das Kind ist ein zehn- bis fünfzehnteiliges Puzzlespiel; es beansprucht seine ganze Aufmerksamkeit. Die Puzzlespiele dürfen aber nicht so schwierig sein, daß es den Mut verliert. Anfangs können Sie ihm helfen. Es soll Ihnen dann aber selbst zeigen, wie es gemacht wird.

Selbstbewußtsein

Im Laufe der Zeit entwickelt sich beim Kind ein Selbstbewußtsein, welches im wesentlichen durch die Mitmenschen (Eltern, Geschwister, Spielkameraden) zustande kommt. Das heißt, durch das Verhalten seiner Umwelt dem Kind gegenüber entwickeln sich sein Selbstbewußtsein und Selbstwertgefühl.

Eine übermächtige, autoritäre Erziehung kann niemals einen selbstbewußten, unabhängigen und ausgeglichenen Erwachsenen hervorbringen. Selbstbewußtsein beruht auf der Erfahrung, die das Kind im Vertrauen auf das eigene Können und damit auf die eigene Person macht. Insbesondere in den ersten drei Lebensjahren verläßt es sich ganz und gar darauf, daß das, was Sie sagen, auch stimmt. Wenn es viel Positives über sich hört, gewinnt es an Vertrauen zu sich. Muß es dagegen immer wieder hören, wie dumm oder schwach es ist, wird es unsicher und an sich zweifeln. Seien Sie deshalb nachsichtig mit Ihrem Kind, lassen Sie es merken, daß es eine eigene selbständige Persönlichkeit ist, mit eigenen Wünschen und Ansprüchen, die ernst genommen werden müssen und die Sie akzeptieren. Im Hinblick auf das Selbstwertgefühl und die Durchsetzungsfähigkeit sind insbesondere das erste »Nein« sowie das zu einem späteren Zeitpunkt einsetzende erste »Trotzalter« von Bedeutung.

So kommt es z. B. vor, daß ein kleines Kind sich an einem Tag plötzlich weigert, gebadet zu werden. Sonst freut es sich immer darauf, in die Badewanne zu kommen, aber heute macht es sich ganz steif, klammert sich an seine Mutter und weint. Warum sollte man es da zwingen? Vielleicht ist es zu müde oder fühlt sich nicht ganz wohl. Machen Sie sich deshalb zur Regel, nicht alle Ihre Wünsche gegenüber denen Ihres Kindes durchsetzen zu wollen. Wägen Sie kritisch in jedem Einzelfall ab, ob Ihre Forderung auch tatsächlich gerechtfertigt ist oder ob man nicht mindestens zu einem Kompromiß kommen kann. Kompromisseschließen ist eine ganz wichtige Erziehungsmaxime. Kinder, die frei und ungegängelt spielen, sich unbekümmert in der Welt der Erwachsenen bewegen dürfen, die ohne Scheu nach dem fragen, was sie nicht verstehen, und darauf ruhige, geduldige Antworten erhalten, entwickeln ein starkes Selbstbewußtsein, Eigeninitiative und Ausdauer.

Etwa ab 2 bis 3 Monate
Nehmen Sie Ihr Kind mit, wenn Sie Bekannte besuchen.
Das Kennenlernen und der Umgang mit fremden Menschen oder Spielkameraden, die Fähigkeit, sich selbst und seinen Besitz zu verteidigen, gehören auch zur Entwicklung des Selbstbewußtseins. Wenn Sie feststellen, daß Ihr Kind gerade in ein Spiel vertieft ist oder gerade etwas aus seiner Umgebung intensiv beobachtet, stören Sie seine Konzentration nicht, sondern verhalten Sie sich ruhig und gehen wieder weg. Wenn es wiederholt in seiner Tätigkeit unterbrochen wird, beeinträchtigt dies seine Konzentrationsfähigkeit.

Etwa ab 6 bis 8 Monate
Ihr Kind muß schon früh seinen Körper kennenlernen, das ist wichtig für die Entwicklung seines Selbstbewußtseins. Zeigen Sie ihm deshalb beim Baden alle Körperteile. Wenn Ihr Kind einmal Sie und sich überrascht, indem es z. B. das Licht ein- und ausschaltet oder einen Gegenstand ins Wasser wirft, so daß es platscht, seien Sie großzügig und freuen Sie sich darüber. Zu schnell erstickt man sonst die Initiative des Kindes im Keim. Durch derartige Spiele wird sein Selbstvertrauen gestärkt und seine Persönlichkeit entwickelt.

Etwa ab 12 bis 18 Monate
Lassen Sie Ihr Kind häufig Entscheidungen treffen. Fragen Sie: »Möchtest du lieber einen Apfel oder eine Banane?« »Was möchtest du trinken?« Zu Anfang zeigen Sie noch die zur Wahl gestellten Dinge. So lernt es mit der Zeit, seine Wünsche selbst zu erkennen, sich eine Meinung zu bilden und für Entscheidungen einzustehen. Es mag ihm schwerfallen, Ihnen seine Augen, Nase, seinen Mund, seine Zähne und Haare zu zeigen, weil es sich selbst nicht sehen kann. Legen Sie seine Finger an seine Augen und sagen: »Das sind Björns Augen«. Machen Sie das gleiche mit seinen anderen Gesichtsteilen. Fragen Sie dann: »Wo sind deine Augen?« oder »Zeig mir deinen Mund«. Geben Sie ihm eine Puppe.

Lassen Sie es auf die Körperteile der Puppe zeigen und dann auf seine eigenen. Zeigen Sie ihm Bilder von Menschen und Tieren und fragen Sie nach den Bezeichnungen der einzelnen Körperteile.

Etwa ab 19 bis 24 Monate

Setzen Sie eine Hand und nachher seinen Fuß auf ein Blatt Papier. Ziehen Sie mit einem Filzstift die Umrisse seines Fußes oder seiner Hand nach. Zeigen Sie ihm dieses »Bild«, so daß es die Form erkennen kann. Lassen Sie Ihr Kind sich auf ein großes Stück Papier legen. Ziehen Sie die Konturen seines Körpers nach. Befestigen Sie das Bild an einer Wand, und lassen Sie es vom Kind mit Buntstiften nach seiner Phantasie ausmalen. Hängen Sie ein großes Bild von Ihrem Kind in Ihrer Wohnung auf.

Etwa ab 25 bis 30 Monate

Lassen Sie Ihr Kind öfters in den Spiegel schauen. Geben Sie ihm die Gelegenheit, sich zu verkleiden oder anzumalen. Nehmen Sie Ihr Kind häufig mit zum Einkaufen. Geben Sie ihm das Geld, lassen Sie Ihr Kind bezahlen und die Ware entgegennehmen. In Supermärkten darf Ihr Kind die Ware auf das Transportband legen und anschließend mit einpacken. Zeichnen Sie ein falsches Bild eines Menschen (die Arme sitzen am Kopf, statt an den Schultern; im Gesicht fehlt der Mund) und fragen: »Was ist auf diesem Bild falsch?« Formen Sie aus Ton oder Knetmasse Kopf, Körper, Arme und Beine eines Menschen. Lassen Sie sich von Ihrem Kind beim Zusammensetzen der einzelnen Teile helfen. Während Sie daran arbeiten, erklären Sie ihm, daß der Arm oben an dem Körper angefügt werden muß; lassen Sie es in den Spiegel sehen und seine eigenen Arme und Schultern anfassen. Machen Sie das Entsprechende, wenn Sie die Beine anfügen. Lassen Sie Ihr Kind auf ein Tonband sprechen oder singen. Es wird ganz überrascht und stolz sein.

6. Schlußwort

Ziel dieses Buches ist es, Spiel und Beschäftigungsanregungen aufzuzeigen, mit denen die körperliche, geistige und seelische Entwicklung eines Kleinstkindes von 2 bis 36 Monaten gefördert und sein Erfahrungsbereich erweitert werden kann. Die zusammengestellten Spielanregungen sind, wie anfangs schon gesagt, nur eine Auswahl, die Sie dazu anregen soll, immer wieder auch eigene Spielideen zu entwickeln, die Ihrem Kind und Ihnen Freude machen.

Für die gesamte Entwicklung Ihres Kindes bleibt dabei Ihr Verhalten von entscheidender Bedeutung. Dadurch, daß Sie Zeit für Ihr Kind haben und ihm ein Teil Ihres Tages gehört, wird es sehen, daß Sie es lieben und akzeptieren. Es muß aber auch merken, daß Sie ihm, soweit möglich, immer mehr Freiheit lassen, etwas zu erforschen und auszuprobieren. Es muß fühlen, daß Sie sich für seine Belange interessieren, seine Anstrengungen bejahen und unterstützen, sich über seine Erfolge freuen und es bei Mißerfolgen trösten.

Wenn Sie so mit Ihrem Kind spielen, es beobachten, zusehen, wie es lernt und sich entwickelt, wird die Freude an Ihrem Kind immer größer werden. Kinder zu erziehen ist gerade in unserer heutigen Zeit, der Zeit der Anonymität, der Isolation, der Leistung, eine sehr schwere Aufgabe, die ein hohes Maß an Einfühlungsvermögen und Opferbereitschaft erfordert. Wir sollten deshalb mit unseren Kindern leben und spielen und nicht für sie; wir sollten unsere Lebensgewohnheiten nicht ändern, weil es das Beste für die Kinder ist, sondern weil es das Beste für die ganze Familie ist. Dieses »Miteinander-Spielen« muß aus vollem Herzen und aus tiefer Überzeugung geschehen, sonst verlieren wir unsere Glaubwürdigkeit gegenüber unseren Kindern. Denn Erziehung darf sich nicht nur auf die Vermittlung von gesellschaftlichen Normen und intellektuellen Fakten beschränken, sondern muß in erster Linie dem Kind ein Verständnis für Menschen seiner Umgebung vermitteln, so daß es diese lieben und sich damit identifizieren kann. Die Fähigkeit und Bereitschaft des Kindes dazu werden in besonderer Weise durch unser Verhalten dem Kind gegenüber mitgeprägt.

Dieses Buch soll zeigen, daß es nichts Lohnenderes und Schöneres gibt, als Eltern zu sein. Elternschaft, das muß nicht Last und Bürde bedeuten, sondern das kann eine erfüllende Herausforderung sein, als Mensch zu leben und Menschliches weiterzugeben.

Der Gelehrte und Philosoph Johann Georg Hamann sagt uns, welche Einstellung und Haltung wir heranwachsenden Kindern gegenüber einnehmen sollten:

»Das größte Gesetz der Methode für Kinder besteht also darin, sich zu ihrer Schwäche herunterzulassen; ihr Diener zu werden, wenn man ihr Meister sein will, ihnen zu folgen, wenn man sie regieren will; ihre Sprache und Seele zu erlernen, wenn wir sie bewegen wollen, die unserige nachzuahmen. Der praktische Grundsatz ist aber weder möglich zu verstehen, noch in der Tat zu erfüllen, wenn man nicht, wie man im gemeinen Leben sagt, einen Narren an den Kindern gefressen hat und sie liebt, ohne recht zu wissen: warum?«

Reihe HANDBÜCHEREI FÜR DIE SOZIALPÄDAGOGIK
Herausgegeben von Günther Dietel

Band 9

Klara Stoevesandt

Bauen und Legen

Spielerisches Gestalten für verschiedene Altersstufen

132 Seiten mit rund 130 Zeichnungen und Fotos, Pappband, DM 19,80

Bauen gehört seit je zu den beliebtesten Spielen von Kindern aller Altersstufen. Einfache Klötze in Backsteinform sind in Kindergärten und Heimen in täglichem Gebrauch. Beim gemeinsamen Bauen mit Kindern und auch mit Jugendlichen entdeckt der Erzieher den hohen Spiel- und Bildungswert gerade der einfachen Bauelemente. Die Gestaltungskräfte und die Freude am zu Erfolg führenden Tun werden ebenso unterstützt wie Ausdauer, Hingabe, Sozialverhalten, Aufmerksamkeit auf die Umwelt, Erproben und Durchschauen physikalischer Zusammenhänge und vieles mehr.

Um Kinder in diesem vielseitigen Bereich optimal fördern zu können, ist eine genaue Kenntnis der Entwicklungsstufe des kindlichen Bauens hilfreich. Die Autorin versteht es meisterhaft, durch Text und Bilder die einzelnen Schwierigkeitsgrade darzulegen und einen Überblick über die Verwendungsmöglichkeiten verschiedener Materialien im Hinblick auf Phantasie, Konstruktives und Schmuck zu vermitteln. Bemerkungen zu Fröbels Legetafeln, die Darstellung der Legetafeln von Christine Uhl sowie weitere Legespiele runden die Fülle des Dargebotenen in wirkungsvoller Weise ab.

LUTHER-VERLAG
Postfach 14 03 80 · 4800 BIELEFELD 14

Reihe HANDBÜCHEREI FÜR DIE SOZIALPÄDAGOGIK

Herausgegeben von Günther Dietel

Band 4
Elisabeth Noack

Wir musizieren mit Kindern

88 Seiten, Pappband, DM 12,80

Band 5
Helmut Rünger

Einführung in die Sozialpädagogik

184 Seiten, Pappband, DM 16,–

Band 6
Elisabeth Noack

Musik in der Vorschulerziehung

Lieder und didaktische Modelle

139 Seiten, Pappband, DM 14,80

Band 7
Erika Hoffmann

Vorschulerziehung in Deutschland

Historische Entwicklung im Abriß

112 Seiten, Pappband, DM 12,80

Band 8
Erich Psczolla

Biblische Geschichten in der religiösen Erziehung

276 Seiten, Pappband, DM 19,80

Band 9
Klara Stoevesandt

Bauen und Legen

Spielerisches Gestalten für verschiedene Altersstufen

132 Seiten mit rund 130 Zeichnungen und Fotos, Pappband, DM 19,80

LUTHER-VERLAG
Postfach 14 03 80 · 4800 BIELEFELD 14